nivel B1 audiolibro colección novela histórica

Las tres muertes del duque de la Ribera

ROSA RIBAS

COLECCIÓN NOVELA HISTÓRICA

Autora: Rosa Ribas
Coordinación editorial: Carmen Aguirre
Supervisión pedagógica: Emilia Conejo
Glosario y actividades: Emilia Conejo
Diseño y maquetación: rosacasirojo
Corrección: Silvia Comeche
Imagen de cubierta: *Autorretrato con la muerte tocando el violín*, de Arnold Böcklin, 1872
Locución: Xavier Miralles

ISBN: 978-84-8443-768-0
Depósito legal: B-5470-2011
Impreso en España por T. G. Soler
www.difusion.com

Índice

Novela Histórica

Las tres muertes del duque de la Ribera

«Todos sabemos que la muerte nos llegará un día u otro y que no podemos escoger de qué manera moriremos, pero sí cómo queremos que el mundo nos recuerde»

Cómo trabajar con este libro

La colección **Novela Histórica** se acerca a diferentes períodos clave de la historia de España y Latinoamérica a través de novelas amenas y adaptadas al nivel de los estudiantes.

Para facilitar la lectura se incluye al final de cada página un glosario en español de las palabras y expresiones más difíciles, y al final del libro, un glosario de las traducciones al inglés, francés y alemán.

A lo largo del texto se han marcado en color morado algunas palabras y expresiones que hacen referencia a aspectos relacionados con la cultura o la historia del mundo del español, y que se explican en la sección de notas culturales.

Cada novela termina con una serie de actividades que sigue la siguiente estructura:

a) «Antes de leer». **Actividades para realizar antes de empezar a leer**. Ayudan a activar los conocimientos previos sobre el tema.
b) «Durante la lectura». Actividades destinadas a **pautar la comprensión de los diferentes capítulos**.
c) «Después de leer». Propuestas variadas que permiten **poner en práctica la comprensión auditiva y de lectura, la expresión oral y escrita, la interacción oral y escrita y la mediación**. Se trata de actividades abiertas que se pueden adaptar a las necesidades de cada lector.
d) «Léxico». Actividades para la **sistematización, la profundización y la ampliación del vocabulario**. Tienen el objetivo de favorecer un aprendizaje estratégico y la mayoría son de carácter abierto.
e) «Cultura». Sección dedicada a **profundizar en algunos de los temas culturales** que plantea el libro.
f) «Internet». En esta última sección se proponen **páginas web interesantes** para seguir investigando.

pista 01

Prólogo

Fue la noche del 26 de septiembre de 1643.

Poco después de la medianoche me despertaron unos golpes[1] a la puerta del palacio de los duques[2] de la Ribera y unos gritos:

—¡Don Luis! ¡Don Luis!

Era la voz de un criado[3] de la casa llamando a don Luis de Mencía, el hijo mayor del duque. Yo también me levanté de la cama, salí de mi habitación y bajé a la planta baja. Desde la escalera escuché que alguien le decía a don Luis:

—Han atacado a don Juan por la calle. Está malherido[4], muy grave.

—¿Dónde está? —preguntó él.

—En la calle de Santo Domingo.

—Voy a buscarlo.

—Pero, don Luis, es peligroso.

Los gritos despertaron también a doña Margarita, la duquesa.

—¿Vas a salir a la calle así? No, hijo. Es muy peligroso.

Pero don Luis no quería perder más tiempo. Solo, sin criados ni protección, salió corriendo hacia la calle de Santo Domingo. Nosotros nos quedamos cerca de la puerta,

---

GLOSARIO

[1] **golpe**: impacto de un objeto contra otro [2] **duque:** título nobiliario más alto [3] **criado**: persona que se encarga del servicio doméstico en casa de otra persona [4] **malherido**: herido gravemente

esperando. Doña Margarita se abrazaba a Amalia Garay, su dama de compañía, que intentaba tranquilizarla.

Media hora más tarde don Luis regresó con la carroza[5] que su padre había tomado por la mañana para ir al Palacio Real. Dentro estaba el cuerpo de don Juan de Mencía, duque de la Ribera.

—¿Cómo está? ¿Está herido? —preguntó doña Margarita.

—Está muerto, madre —respondió don Luis—. Ya estaba muerto cuando lo encontré.

A su lado, inconsciente, estaba el criado Melchor García, su hombre de confianza[6]. Estaba herido, pero vivo.

Sacaron el cuerpo del duque de la carroza.

—Llevadlo arriba, a su habitación —ordenó don Luis.

Doña Margarita gritó y empezó a llorar al ver a su marido. Después se desmayó[7].

Esa noche fue muy triste en la casa de los duques de la Ribera. Y empezó una historia que cambió mi vida y la de los que la vivieron.

GLOSARIO

[5] **carroza**: coche grande, ricamente vestido y adornado [6] **hombre de confianza**: servidor o ayudante principal de una persona [7] **desmayarse**: quedarse inconsciente

pista 02

Capítulo I
Sebastián Ledesma

¿Quién soy yo? En realidad no es muy importante, solo soy una figura secundaria en esta historia, pero me presentaré: mi nombre es Sebastián Ledesma y actualmente soy mayordomo[1] de su majestad el rey Felipe IV. Pero hace veinte años, en 1643, era un joven paje[2] en casa de los duques de la Ribera.

Llegué a Madrid en mayo de 1643 después de un largo y cansado viaje desde Sevilla. Tenía catorce años y, como es habitual entre los hijos de familias nobles, mis padres me habían enviado de Sevilla a Madrid para continuar mi educación en casa de don Juan de Mencía, duque de la Ribera, que era primo de mi madre.

Era mi primer viaje a la capital y la primera impresión de la ciudad no fue muy buena. Esperaba ver una ciudad magnífica, con ricos palacios e iglesias, estatuas de mármol[3], gente vestida con ropa elegante, trajes de seda y sombreros con plumas[4], y me encontré con una realidad muy distinta. Había palacios, iglesias y estatuas, pero estaban rodeados de casas bajas y feas. Las calles eran más anchas y largas que en Sevilla, pero más sucias y estaban llenas de gente. Por todas partes se veían pobres, mendigos[5] y personas apoyadas[6] en las paredes o sentadas en el suelo sin

---

GLOSARIO

[1] **mayordomo**: criado principal de una casa [2] **paje**: criado que acompaña a los señores y hace otras actividades domésticas [3] **mármol**: piedra caliza muy utilizada en la escultura [4] **pluma**: cada pieza que cubre el cuerpo de un ave [5] **mendigo**: persona pobre que pide dinero en la calle [6] **apoyarse**: cargar el peso del cuerpo sobre una superficie

hacer nada. Y ese río ridículo. Cuando cruzamos el puente y vi que era solo un hilo de agua[7], le pregunté a mi acompañante:

—¿Este es el río de Madrid?

—Sí, el Manzanares.

—¿No hay otro?

—No. Solo este.

Recordé entonces el Guadalquivir en Sevilla, mi ciudad natal[8], y no pude evitar[9] reírme. Mi acompañante me dijo entonces:

—Este es un tema delicado en esta ciudad, don Sebastián. Como usted no es de aquí, es mejor que no se burle del[10] río en público.

El comentario me pareció tan gracioso que no pude parar de reír hasta que el carruaje se detuvo[11] delante de la puerta de la casa del duque de la Ribera. Una dama de compañía de la duquesa me llevó a un salón donde me esperaba doña Margarita.

—¡Qué muchacho más simpático! —dijo al verme entrar con una enorme sonrisa.

Nunca le conté de qué me reía.

La duquesa me invitó a tomar un chocolate. Doña Margarita de Iturbide era originaria de Navarra, pero desde su matrimonio con don Juan vivía en Madrid y, como muchas señoras madrileñas, le encantaba esta bebida. Cada día tomaba varias tazas con dulces que le traían de las mejores confiterías[12] de la ciudad o de algunos conventos famosos por sus magníficos dulces. Era una mujer más bien gordita y, hasta la muerte de su marido, siempre de buen humor. Ese día tomamos una taza de chocolate con canela, ella me preguntó por mis padres y, después, la misma dama que me había llevado

---

GLOSARIO

[7] **hilo de agua**: muy poca agua [8] **natal**: donde se ha nacido [9] **evitar**: impedir [10] **burlarse de**: reírse de, hacer una broma a costa de alguien o algo [11] **detenerse**: pararse, dejar de moverse [12] **confitería**: pastelería, tienda donde se venden dulces

ante doña Margarita me mostró la casa. Era una mujer de casi sesenta años, muy alta, delgada y fuerte. Tenía unas manos muy grandes, como las de un hombre, pero blancas y delicadas. También era navarra, se llamaba Amalia Garay y servía[13] a la duquesa desde que esta había nacido. Ya en mi primer día en Madrid me di cuenta de[14] que quería a doña Margarita más como a una madre que como a una simple dama de compañía. Con ella recorrí todas las habitaciones mientras me explicaba un poco las costumbres de la familia.

La casa del duque de la Ribera era un palacio enorme y oscuro con muchas habitaciones, las más pequeñas estaban en un edificio separado por un gran jardín interior y eran para los más de cincuenta criados que trabajaban allí. Un palacio grande, pero no tan grande como el del duque de Alba en Sevilla, que tenía cuatrocientos dormitorios para los criados.

Tenéis que saber que había criados para todo: para cocinar, comprar, cuidar los caballos y los perros, vestir y peinar a los señores, lavar la ropa; había criados para abrir las puertas, para servir las comidas, para cuidar a los niños, para conducir los carruajes, para acompañar y proteger a los señores en las oscuras y peligrosas calles de Madrid por la noche. Todo el mundo tenía criados, desde, por supuesto, los reyes y nobles hasta los artesanos[15]. Un día, cuando ya estaba desde hacía varias semanas en Madrid, paseaba por la ciudad y vi a un zapatero acompañado por dos criados: uno para darles a los clientes los zapatos del pie derecho y otro para los del pie izquierdo.

La casa del duque estaba llena de cuadros, tapices[16], espejos, jarrones[17]. Amalia Garay me los mostró con orgullo[18].

GLOSARIO

[13] **servir**: (aquí) trabajar para [14] **darse cuenta de**: ver o notar por primera vez [15] **artesano**: persona que fabrica manualmente objetos de uso cotidiano con un toque personal [16] **tapiz**: paño grande tejido con lana o seda en el que se copian cuadros [17] **jarrón**: vaso grande que se usa de adorno o para poner flores [18] **orgullo**: (aquí) satisfacción

También había muchos relojes, todos hermosísimos[19].

—¡Cuántos relojes! —dije al entrar en una habitación en la que había cinco.

—Son una pasión de don Juan —me respondió ella.

—Son preciosos.

Al duque le gustaba mirarlos, ver los complejos mecanismos, contemplar las formas y, sobre todo, escucharlos. Para él, el sonido de sus relojes era música.

Amalia me explicó que para el duque era fundamental que todos funcionaran y marcaran siempre la hora exacta. Dos criados se ocupaban de los relojes, uno los limpiaba y el otro era un maestro relojero que el duque había hecho venir de Augsburgo, una ciudad de Alemania. Cuando el duque murió, pararon todos los relojes de la casa.

Pero ese caluroso día de mayo nadie podía imaginarse la tragedia que iba a suceder solo unos meses más tarde. Amalia Garay y yo recorrimos[20] el palacio y, finalmente, me dejó de nuevo con doña Margarita, que me presentó a don Juan.

GLOSARIO

[19] **hermoso**: bonito [20] **recorrer**: atravesar un espacio en su totalidad

Capítulo II
El duque de la Ribera

Había oído muchas cosas sobre don Juan de Mencía. Sabía que era un hombre muy poderoso, que cada vez tenía más importancia en la corte del rey Felipe IV.

Desde 1621 reinaba en España Felipe IV. Había subido al trono[1] con solo dieciséis años tras la muerte de su padre, el melancólico Felipe III. Entonces, en 1643, estaba casado con la reina Isabel de Borbón, hija de Enrique IV de Francia. Era, como todos, un matrimonio político. Los habían prometido cuando Felipe tenía cinco años y los habían casado en 1615. Él tenía diez años y ella trece. Tuvieron ocho hijos. En muchas casas ocho nacimientos son ocho alegrías; no fue así para la casa real porque de los ocho niños que nacieron, seis murieron: un hijo varón[2], que murió al nacer, y cinco niñas, que murieron antes de los dos años. En 1643, solo dos de los hijos de los reyes seguían vivos, el príncipe Baltasar Carlos y la infanta María Teresa, dos niños sanos y fuertes.

Felipe IV siempre ha sido un hombre de voluntad débil, podéis creerme, como mayordomo real lo conozco muy bien. Aunque es el rey, la política no le interesa, él prefiere divertirse. Sus grandes pasiones son el teatro, la caza[3] y las mujeres. Por eso siempre ha dejado los asuntos de gobierno en manos de

---

GLOSARIO

[1] **trono**: silla donde se sientan los reyes [2] **varón**: de sexo masculino [3] **caza**: actividad que consiste en seguir a animales para matarlos

sus consejeros[4]. Durante muchos años su consejero fue el conde-duque de Olivares, que se convirtió así en el hombre más poderoso de España, el valido[5] del rey. Se puede decir que fue él quien gobernó el país y el imperio entero durante casi veinte años. Pero tras varios errores, y gracias también a las presiones de la reina Isabel, que lo odiaba profundamente, a principios de 1643 perdió el favor del rey y este lo expulsó de Madrid. Aunque la reina Isabel intentó convencer al rey para que gobernara él mismo el país, todos sabían que no era capaz de hacerlo y los grandes señores competían por conseguir ser sus nuevos consejeros. Uno de ellos era don Juan de Mencía, duque de la Ribera, que por eso iba con frecuencia al Palacio Real. El rey lo apreciaba porque era inteligente, pero, sobre todo, porque era divertido. Escribía poemas, era un excelente cantante y mejor bailarín, y también montaba magníficamente a caballo. Todo el mundo lo admiraba cuando participaba con Pegaso, su caballo favorito, en las corridas de toros. Incluso el rey admiraba al duque de la Ribera.

El rey y don Juan tenían otras costumbres comunes: tanto don Juan como el rey eran mujeriegos[6] y ambos compartían y competían en sus amores que, además, no distinguían clases sociales, tanto señoras nobles como simples criadas podían ser objeto de sus amores. Incluso alguna que otra monja[7], según los rumores[8]. Todo esto lo supe después, cuando entré al servicio del rey y este a veces me contó cuánto echaba de menos la compañía de don Juan.

En mi primer día en la casa del duque no tenía ni idea de todo esto. Solo sabía, como dije al principio, que era un hombre

---

GLOSARIO

[4] **consejero**: persona que da consejos o asesora a otra [5] **valido**: hombre que tenía la confianza de un alto personaje y podía actuar en su nombre [6] **mujeriego**: aficionado a las mujeres [7] **monja**: mujer de una orden religiosa [8] **rumor**: información no confirmada que corre de boca en boca

muy poderoso en la corte española. Tenía muchas ganas de conocerlo en persona. Por fin, la duquesa me lo presentó.

Estaba sentado en una habitación que daba al jardín del palacio y revisaba[9] algunos papeles. Se levantó al verme entrar.

—Así que este es Sebastián. Bienvenido.

Don Juan de Mencía era un hombre alto y bien proporcionado, de pelo claro, rubio, que le debía a su madre, una noble de origen alemán.

Como doña Margarita, don Juan también me preguntó por mis padres y por el viaje. Después me explicó cuáles eran sus planes para mi estancia en Madrid:

—Es muy importante que continúes aquí con la educación necesaria para alguien de nuestra clase. Latín, historia, gramática...

De pronto se echó a[10] reír. Era una risa fuerte, que al principio me asustó.

—¿Por qué te pones tan triste, Sebastián?

—Es que yo pensaba que en Madrid...

—Entiendo. No has venido a Madrid a aprender latín, pero es muy importante para la formación de un buen caballero[11].

No me atrevía a[12] responder, pero él entendía lo que yo pensaba.

—No te preocupes, que habrá más cosas. También tendrás un buen maestro para aprender a usar las armas[13].

—Ya sé usar las armas —dije un poco herido en mi orgullo.

—Claro —se corrigió sin dejar de mirarme sonriente—, quería decir para mejorar el manejo[14] de las armas.

Creo que le divertía mi enfado y a la vez le parecía bien.

—Además —añadió—, también aprenderás, o mejorarás, en baile, en música y en otras disciplinas que te van a ayudar

---

GLOSARIO

[9] **revisar**: repasar, inspeccionar [10] **echarse a**: empezar a hacer algo de repente [11] **caballero**: (aquí) hombre de posición alta en la sociedad [12] **atreverse a**: tener valor para [13] **arma**: herramienta que se usa para atacar o defenderse [14] **manejo**: uso

a moverte por la corte[15]. Pero también en latín, historia y gramática.

Desde esa perspectiva ya no me parecía tan terrible.

—Tendrás el mismo maestro que ya se ocupó de mi educación y de la de mis hijos.

Don Juan de Mencía y su mujer, doña Margarita, habían tenido cinco hijos. El mayor y heredero[16] era don Luis de Mencía. Don Luis tenía entonces veinticuatro años. Se parecía mucho a su padre y pronto descubrí que eso, que en principio es bueno, era para él un problema, porque era como don Juan, pero siempre un poco menos. Don Luis era alto, pero no tanto como su padre, ni tampoco era tan rubio como él. Todo el mundo decía que era atractivo, pero casi siempre añadían que no tanto como su padre. Escribía poemas, era buen espadachín[17], toreaba[18] bien y tenía mucho éxito con las damas, como su padre.

Venía después una hija dos años menor, Catalina. Ya no vivía en el palacio, porque los padres la habían casado con uno de los hijos de los duques de Torreblanca. Después de Catalina había nacido otra niña, Isabel, pero murió a los dos días. Para la duquesa fue muy triste, pero para el duque un gran alivio[19]. Casar a una hija cuesta mucho dinero.

Por eso, el duque se alegró mucho de que su cuarto hijo, Íñigo, fuera un niño.

—Este será militar.

Y lloró cuando el quinto, Lorenzo, murió a los tres meses de edad.

—Este era para la Iglesia —había dicho el duque.

Porque un hijo religioso es una garantía en el cielo.

GLOSARIO

[15] **corte**: lugar donde vive el rey y entorno de las personas que lo rodean [16] **heredero**: persona que recibe los bienes de una persona cuando esta muere [17] **espadachín**: hombre que maneja bien la espada [18] **torear**: luchar contra un toro en una plaza de toros [19] **alivio**: descanso, desahogo

Amalia me contó que, después de la muerte de Lorenzo, don Juan estuvo a punto de[20] anular el compromiso matrimonial de su única hija, Catalina, para meterla en un convento.

—Para que rece[21] todos los días por mi alma[22].

Pero ya era demasiado tarde, el compromiso era oficial.

Al duque le preocupaba mucho este tema. Su obsesión era su fama, su honor[23]. Mientras vivía, podía controlarlo, pero se preguntaba, ¿qué pasará después de mi muerte? ¿Cómo me recordará la gente? A sus cuarenta y cinco años era todavía un hombre fuerte y sano y estaba a punto de convertirse en uno de los más importantes del país. No sabía que la muerte ya lo esperaba.

GLOSARIO

[20] **estar a punto de**: (aquí) estar muy cerca de tomar una decisión [21] **rezar**: orar, pedir a Dios [22] **alma**: espíritu [23] **honor**: honra, dignidad

pista 04

Capítulo III
En casa del duque

Cuando llegué a Madrid en la primavera de 1643, en la casa vivían los duques de la Ribera y sus dos hijos, Luis e Íñigo, además de varias decenas de criados.

A mí me dieron una gran habitación cerca de la parte del palacio que ocupaba don Juan. Todas las mañanas Íñigo y yo, que éramos de la misma edad, teníamos varias horas de clases. El maestro era un hombre mayor y un poco sordo[1], con él aprendíamos latín, retórica, historia y el arte de escribir versos. Yo me aburría muchísimo. A Íñigo de Mencía le encantaban las clases, sobre todo las historias de las hazañas[2] militares y las conquistas de los grandes emperadores y generales. También le gustaba escribir versos. No quería ser poeta, pero había aprendido de su padre que era una de las mejores maneras de llegar al corazón de las mujeres. Íñigo admiraba muchísimo a su padre.

Y era el favorito de su madre. A veces, doña Margarita entraba en la habitación en la que teníamos nuestra clase y preguntaba al maestro:

—¿Qué están aprendiendo hoy?

El maestro le contaba lo que hacíamos: traducir un texto, memorizar un poema, estudiar una batalla... Entonces ella miraba a su hijo y le decía:

GLOSARIO

[1] **sordo**: que no puede oír [2] **hazaña**: acto heroico

—A ver, a ver.

Íñigo le enseñaba o le decía lo que había aprendido y después su madre respondía orgullosa:

—Muy bien.

Mientras, le acariciaba[3] la cabeza. Como vio que yo miraba esa escena siempre con un poco de melancolía, a los pocos días empezó a preguntarme también a mí:

—¿Y tú, Sebastián?

Para no decepcionarla[4] empecé a estudiar con más entusiasmo. La verdad es que me encantaba cuando me tocaba la cabeza con su mano blanca y suave.

Muchas veces, antes de salir de la habitación, decía:

—¿Cómo podéis leer con el ruido de estos relojes?

A veces se quejaba de los relojes a su marido y le decía:

—¡Me va a volver loca este ruido! No hay un solo rincón en la casa sin esos golpes constantes. Tac, tac, tac, tic, tic, tic.

Cuando esto sucedía, doña Margarita pedía una taza de chocolate y después se sentía mucho mejor.

A pesar de estas quejas, pronto me di cuenta de que doña Margarita amaba profundamente a su marido y que él la amaba a ella. Su matrimonio, como todos, había sido un compromiso político entre dos grandes familias. Pero, con los años, ambos se enamoraron. El duque tenía, es cierto, muchas aventuras amorosas, pero estoy seguro de que solo quería a su esposa. Le hacía muchos regalos, visitaba con frecuencia su dormitorio y, lo que para ella era más importante, hablaba con ella de sus asuntos[5] y respetaba sus opiniones y consejos. Cada día se sentaban juntos por lo menos una hora, en el jardín o en el escritorio, y hablaban.

GLOSARIO

[3] **acariciar**: demostrar cariño rozando el cuerpo de una persona con la mano [4] **decepcionar**: defraudar, no cumplir las expectativas [5] **asunto**: tema, cuestión

A veces don Luis, el hijo mayor, también participaba en esas conversaciones, pero don Juan pensaba que todavía no estaba preparado para ocuparse de determinados asuntos y prefería escuchar la opinión de su esposa. A don Luis esto no le gustaba demasiado y en un par de ocasiones lo escuché discutiendo con su padre.

Recuerdo que un día, cuando llevaba ya un mes viviendo allí, escuché sus voces en el jardín. Siempre he sido una persona muy curiosa[6], así que me acerqué. Vi a los dos hombres cara a cara, como a punto de pelear, pero no podía ser, eran padre e hijo. Los espié[7] desde detrás de unas plantas y escuché que don Luis decía:

—..., pero es una mujer. Haces caso de[8] las opiniones políticas de una mujer.

—Si algún día tienes alguna opinión mínimamente interesante, hijo, puedes estar seguro de que la escucharé con mucho gusto.

Se dio la vuelta[9] y empezó a gritar:

—¡Melchor! ¿Dónde estás? ¡Melchor!

Melchor García apareció al momento. Tenía la edad del duque, pero parecía mucho mayor que él. Era un hidalgo[10] que había pasado muchos años en América con la intención de hacerse rico y había regresado[11] aún más pobre. Desde hacía cinco años estaba al servicio del duque, de quien era pariente[12] lejano.

—¿Está todo a punto, Melchor?

—Sí, señor. La carroza ya está preparada.

Se marcharon. Iban al Palacio Real. Lo sabía por la ropa que llevaba don Juan.

GLOSARIO

[6] **curioso**: que quiere saber lo que no es asunto suyo [7] **espiar**: observar algo o a alguien con disimulo, a escondidas [8] **hacer caso de**: tener en cuenta, prestar atención a [9] **darse la vuelta**: volverse, girarse [10] **hidalgo**: persona de clase noble [11] **regresar**: volver [12] **pariente**: familiar

Una de mis ocupaciones en el palacio era acompañar al duque mientras se vestía, ayudado por dos criados, un gran honor que me concedieron[13] porque era de la familia.

Tenéis que saber que la moda española era muy estricta y los hombres normalmente vestían ropa oscura, sobre todo negra, pero el duque, que había viajado mucho por Italia y por Francia, prefería los colores más vivos. Al principio a mí me sorprendían mucho sus combinaciones.

—¿Pantalones verdes, don Juan?

—Claro, Sebastián, y las medias también.

Respondía él y después le pedía al criado una camisa con anchas mangas blancas y doradas.

Su prenda favorita eran las capas[14]. Tenía muchas capas de telas caras, algunas adornadas[15] con piedras preciosas. Su favorita era una larga capa de terciopelo[16] negro por fuera y de seda de un rojo intenso por dentro. Un rojo como la sangre. Esa era, precisamente, la capa que llevaba el día en que murió. Mejor dicho, lo mataron.

GLOSARIO

[13] **conceder**: dar algo valioso [14] **capa**: prenda de vestir larga y suelta, sin mangas y abierta por delante que se lleva encima de la ropa [15] **adornar**: decorar [16] **terciopelo**: tela de seda gruesa muy elegante

pista 05

Capítulo IV
La primera muerte del duque de la Ribera

La mañana de ese fatídico[1] 26 de septiembre el duque se vistió con ropa especialmente elegante y también se puso sus mejores medallas[2] y adornos.

Después, como era su costumbre, recorrió todas las habitaciones para comprobar el funcionamiento de sus queridos relojes.

Antes de salir, doña Margarita miró orgullosa a su marido y controló con atención, una última vez, la ropa que llevaba; observó todos los detalles, desde los zapatos hasta el sombrero. Todo estaba perfecto, todo brillaba[3], la seda de la ropa, el oro y las piedras preciosas de los adornos. Don Juan tenía un cita muy importante con el rey.

Algunas veces yo lo había acompañado al Palacio Real.

—Para que conozcas a gente importante —me decía don Juan.

También, pensaba yo pero no se lo decía, para ver las magníficas pinturas que llenaban las salas del palacio; obras de todos los grandes maestros del arte. Me podía pasar horas y horas mirándolas mientras el duque se dedicaba a sus asuntos de política.

Pero ese día el duque no me llevó con él. Se marchó solo con Melchor García, que también llevaba ropa de calidad,

---

GLOSARIO

[1] **fatídico**: que anuncia una desgracia futura [2] **medalla**: pieza de metal, normalmente redonda, con alguna figura o símbolo [3] **brillar**: relucir, resplandecer

aunque de color negro, pero las telas[4] eran muy buenas. Por lo visto[5], la cita era muy importante.

No lo vi vivo nunca más. La siguiente imagen que tengo es la de su cuerpo en la carroza. Don Luis había arriesgado[6] su vida para llevarlo a casa. A él y a Melchor, que cuando recuperó el conocimiento les contó a los duques lo que sucedió esa noche.

Tenéis que saber que las calles de Madrid eran muy peligrosas por la noche. No había iluminación[7] y los ladrones aprovechaban[8] la oscuridad para robar a las personas que se atrevían a salir solas, sin escolta[9].

Por lo visto, esto es lo que hizo una dama desconocida y fue víctima de los ladrones. Don Juan y Melchor escucharon los gritos de la mujer pidiendo socorro[10] y fueron a ayudarla. Pero eran solo dos hombres y los ladrones eran cinco. Los ladrones hirieron al duque y a Melchor. La herida de Melchor era grave; la herida del duque era mortal. Murió allí, en la calle de Santo Domingo. El nombre de la señora no lo sabe nadie.

—Antes de morir, el duque le hizo jurar[11] a Melchor que no se lo diría a nadie —contó don Luis después de hablar Melchor.

Quería proteger[12] el honor de la mujer, que seguramente era una señora importante. Tenéis que saber también que a las mujeres les estaba prohibido caminar por las calles de noche. Por eso, mientras no se supiera el nombre de la señora, su honor y el de su familia estaban a salvo.

Así murió el duque de la Ribera y se llevó a la tumba[13] el nombre de la dama. Melchor callaba por el juramento.

Cuando se supo esta historia, en toda la ciudad no se habló de otra cosa. En las calles y las plazas de Madrid se formaban

---

GLOSARIO

[4] **tela**: tejido del que está hecha la ropa [5] **por lo visto**: al parecer, parece que [6] **arriesgar**: poner en peligro [7] **iluminación**: sistema para dar luz a algo [8] **aprovechar**: extraer lo positivo de algo [9] **escolta**: persona o personas que protegen a alguien importante [10] **socorro**: ayuda [11] **jurar**: comprometerse solemnemente a algo [12] **proteger**: (aquí) defender [13] **tumba**: lugar donde está enterrado un cadáver

grupos de personas para hablar de ello. La muerte del duque era el tema de conversación en los mercados, en los teatros, en las iglesias. A veces se decía que luchó contra cuatro, otras veces contra cinco, otras veces contra seis y algunos, los más exagerados, decían que luchó él solo contra diez hombres. Pero el asunto más interesante para la gente era quién podía ser esa mujer por la cual él había dado su vida. En las conversaciones aparecieron los nombres de casi todas las damas importantes de la ciudad. En mis paseos por la ciudad, me acercaba a los grupitos que hablaban apasionadamente sobre el tema. Noté que muchos de los hombres lo hacían con admiración y me pareció que a algunas mujeres, sobre todo a las más jóvenes, se les llenaban los ojos de lágrimas[14]. Tal vez porque les gustaría que algún hombre estuviera dispuesto a[15] morir por ellas. ¿Quién podía ser esa dama tan importante por la que don Juan de Mencía había dado su vida?

GLOSARIO

[14] **lágrima**: gota de líquido que se echa al llorar [15] **estar dispuesto a**: tener la intención de

pista 06

Capítulo V
El encargo[1]

Todos sabemos que la muerte nos llegará un día u otro y que no podemos escoger cómo moriremos, pero sí cómo queremos que el mundo nos recuerde. Como ya he dicho, esta había sido una de las mayores obsesiones de don Juan de Mencía.

Don Luis de Mencía, el heredero del duque de la Ribera, lo sabía. Por eso, tres semanas después de su muerte decidió encargar un cuadro[2] sobre la muerte de su padre para regalarlo después a algún convento importante. Se lo dijo a su madre. Desde la muerte de don Juan, doña Margarita casi no salía de su dormitorio, comía muy poco y solo porque Amalia Garay la obligaba[3]. Amalia, que sabía mucho de hierbas y medicinas, usaba todos sus conocimientos para intentar curar un poco su tristeza. La idea del cuadro pareció darle fuerzas de nuevo, empezó a comer algo más y salió por fin de su habitación.

Una mañana de finales de octubre don Luis estaba en el escritorio de don Juan ocupado con la economía de la familia. Yo estaba en la habitación de al lado haciendo las tareas de latín. El maestro era muy estricto. Entre las dos habitaciones había una gruesa[4] puerta, pero no estaba cerrada y yo oía las voces del joven duque y su contable, pero no les prestaba atención. Esos temas no me interesaban especialmente. Como

---

GLOSARIO

[1] **encargo**: petición [2] **cuadro**: pintura artística [3] **obligar**: forzar a hacer algo [4] **grueso**: gordo, ancho

leía en silencio, los dos hombres no habían notado que yo estaba allí.

En un momento escuché que alguien tocaba a la puerta de la habitación de al lado y entraba sin esperar respuesta. Era doña Margarita.

—¡Madre! ¿Cómo estás? —dijo don Luis.

Se notaba en la voz que se alegraba de verla.

—Mejor, hijo. Quería hablar un momento contigo.

—Es que..., tengo asuntos urgentes..., pero bueno, no importa. Dime, ¿qué sucede?

El contable entendió y pidió permiso para marcharse. Salió de la habitación.

—Es por el cuadro. ¿Ya sabes a qué convento lo vamos a regalar?

—Al convento de las carmelitas.

—Muy buena idea. La capilla[5] es muy hermosa y mucha gente importante va a misa[6] allí. Para el pintor he pensado en Jerónimo Soria.

—¿Jerónimo Soria? Es un pintor muy anticuado. Yo he pensado en Miguel Blasco. Excelente, un gran artista, llegará a ser un maestro, el propio Velázquez lo protege.

—No lo dudo, pero no me parece la persona adecuada, hijo.

—¿Por qué?

—Hay muchos rumores en la corte, la gente cuenta cosas...

—Habladurías[7], madre.

Se contaban muchas historias sobre sus amores, algunas incluso relacionadas con la reina Isabel, que era una gran admiradora de su obra y le había encargado un retrato.

—Si la gente habla, habrá alguna razón.

—No deberías hablar así de la reina Isabel.

GLOSARIO

[5] **capilla**: edificio con altar que se encuentra junto a una iglesia o dentro de ella y donde se va a rezar [6] **misa**: servicio religioso católico [7] **habladurías**: rumor

—Pero es francesa y ya sabes cómo es esta gente.

—Ten cuidado, madre, a veces incluso las paredes oyen[8].

Las paredes tal vez no oían, pero yo sí; me acerqué un poco más a la puerta sin hacer ruido y los vi desde una rendija[9] entre la puerta y la pared. La curiosidad era más fuerte que el miedo de ser descubierto.

—Jerónimo Soria, en cambio, es una persona decente. Un hombre religioso.

—Necesitamos un pintor, madre, no un santo.

—Pero se trata de honrar[10] la memoria de tu padre, se trata de mostrar que murió con dignidad, se trata de salvar su alma.

Con una voz fría y llena de sarcasmo le dijo:

—Madre, guarda este teatro para cuando tengas público. Tú y yo sabemos bien que todo esto es una farsa.

Entonces no podía entender a qué se referían con estas palabras y aún menos entendí la frase que Luis no pudo terminar:

—Padre murió en la calle porque...

Un golpe, una bofetada[11], lo interrumpió. Después se oyó un grito de mujer. Me acerqué más a la puerta y vi que don Luis sujetaba[12] a su madre por los brazos.

—La próxima vez que te atrevas a pegarme, te devolveré el golpe. Soy el señor de esta casa, también para ti.

Doña Margarita iba a decir algo, pero él no le dejó empezar:

—Si vas a hacer alguna comparación con mi padre es mejor que te calles. No importa ya si don Juan hacía esto o aquello, ni cómo hacía las cosas. Ahora se hacen como yo quiero. Y basta[13].

—Está bien, hijo —respondió ella con voz débil.

Se echó a llorar.

GLOSARIO

[8] **las paredes oyen**: nunca se sabe quién está escuchando [9] **rendija**: abertura larga y estrecha en una superficie [10] **honrar**: dar honor o fama [11] **bofetada**: golpe que se da con la palma de la mano en la cara de otra persona [12] **sujetar**: sostener, mantener [13] **basta**: (aquí) expresión con la que se indica que no se desea seguir discutiendo sobre un tema

—Lo que tú digas, hijo.

La voz de don Luis se suavizó.

—No llores, madre.

—Es que me ilusionaba[14] tanto que Jerónimo Soria pintara el cuadro... Pero tienes razón, tú mandas[15] ahora. Yo solo soy una pobre viuda que quiere guardar el mejor recuerdo de su marido; ya que no puedo saber quién lo mató ni nunca podré saberlo.

—Pero madre...

—No te preocupes. Está bien, hijo. Me voy. Puedes seguir con los asuntos de la casa. Perdona que te haya molestado.

La expresión de don Luis cambió. Ya no estaba enfadado, sino triste.

—Espera —dijo a su madre.

—¿Por qué? Ya está todo dicho.

—No. Perdona mi dureza[16]. Tengo una idea, madre. ¿Sabes qué haremos? Encargaremos un díptico[17].

—¿Un díptico?

—Sí. Con un cuadro de cada pintor. ¿Qué te parece la idea?

Doña Margarita no lo pensó mucho tiempo. Estaba de acuerdo.

—Entonces —dijo don Luis— Si te parece bien, mi pintor, Miguel Blasco, tendrá el lado izquierdo y Jerónimo Soria, el tuyo, pintará el lado derecho.

—Pero no pintarán lo mismo.

—No. Blasco pintará el entierro[18] y Soria la subida al cielo de don Juan.

—Según nuestras instrucciones —añadió la duquesa.

—Tú te encargarás de tu pintor y yo del mío. Y pintarán aquí.

GLOSARIO

[14] **ilusionarle algo a alguien**: tener muchas ganas e ilusión [15] **mandar**: tener el poder [16] **dureza**: crueldad, severidad [17] **díptico**: cuadro formado por dos tablas que se cierran como las tapas de un libro [18] **entierro**: acto por el cual se mete a un muerto bajo la tierra

—¿En el palacio? ¿Por qué?

—Porque la gente habla tanto de lo sucedido que es mejor no dar más motivos.

—Me parece bien.

Ambos[19] se quedaron en silencio hasta que doña Margarita dijo de pronto:

—Sebastián.

Al oír mi nombre pensé que me habían descubierto. Sentí de pronto una gran vergüenza y me imaginé de vuelta[20] en Sevilla, la deshonra[21], la decepción de mis padres. Ya iba a abrir la puerta y presentarme ante ellos, cuando escuché que la duquesa seguía hablando:

—Sebastián podría encargarse de ayudar a los pintores. Es un muchacho inteligente y es un Ribera. No es una rama principal de la familia, pero es un Ribera a fin de cuentas[22]. Seguró que será discreto.

Después del miedo y la vergüenza que había pasado, ignoré esas palabras algo despectivas[23] y dejé el honor de mi familia para otra ocasión. Tenía catorce años, me gustaba vivir en Madrid, me encantaba la pintura y me aburría en las clases de Antonio Cueto. Por eso, casi di saltos[24] de alegría cuando don Luis aprobó la propuesta de su madre.

—Perfecto. Entonces Sebastián Ledesma ayudará a los pintores.

Don Luis y doña Margarita no podían imaginarse que al repartir[25] el encargo entre dos pintores ponían en peligro precisamente lo que más querían proteger: el honor de su familia.

GLOSARIO

[19] **ambos**: los dos [20] **de vuelta**: de regreso, después de volver [21] **deshonra**: deshonor [22] **a fin de cuentas**: al fin y al cabo, de todas formas [23] **despectivo**: negativo [24] **salto**: elevación del suelo que se consigue dándose impulso con el cuerpo [25] **repartir**: distribuir

pista 07

Capítulo VI
Jerónimo Soria

Solo tres días más tarde, el pintor Jerónimo Soria fue a ver a doña Margarita. Era un hombre maduro[1], que había nacido en el año 1601 en Cádiz. Era alto y muy delgado, tenía ya el pelo gris, también la larga barba era gris. A mí me recordaba las imágenes de los santos de sus cuadros.

Su padre había sido un rico comerciante que había hecho su fortuna[2] en las Indias. Muy pronto llamó la atención por su talento para la pintura y con dieciséis años su padre lo envió a Sevilla, al taller de Pedro Villanueva, donde estudió durante tres años hasta que pasó las pruebas para ser maestro pintor. No regresó a Cádiz, sino que se quedó en Sevilla, una de las ciudades más ricas del país.

Jerónimo Soria era un hombre profundamente religioso, algunos decían que casi fanático, y toda su obra trataba solo temas religiosos. Las malas lenguas[3], una de las especialidades del país, decían que con su religiosidad quería ocultar que tal vez su familia no era de cristianos viejos, que venían en realidad de judíos conversos. Pero eran habladurías y a mí no me gusta hacerles caso.

Soria se hizo muy famoso en Sevilla, sobre todo cuando pintó doce cuadros sobre los martirios de los doce apóstoles para el convento de los monjes dominicos en Sevilla. A partir de

---

GLOSARIO

[1] **maduro**: de mediana edad [2] **hacer fortuna**: hacerse rico [3] **malas lenguas**: personas que hablan mal de otras

ese momento todas las iglesias, conventos y hospitales querían tener algún cuadro del maestro: vírgenes, santos, escenas de la Biblia. Jerónimo Soria vivía solo para pintar.

Su fama llegó finalmente también hasta la capital, donde los conventos más ricos competían entre sí por los cuadros de Soria. Como el pintor odiaba viajar, cuando el trabajo lo llevó a Madrid, decidió quedarse a vivir allí. Eso fue en el año 1639.

Cuando murió don Juan de Mencía, duque de la Ribera, Jerónimo Soria ya era un pintor famoso en la capital.

Doña Margarita admiraba sobre todo los retratos de santas que decoraban las capillas de una iglesia donde solía[4] ir a rezar. Allí había un retrato[5] de Santa Marina que le gustaba especialmente porque se parecía mucho a ella. No era solo una impresión suya, otras personas también decían que el cuadro parecía un retrato de doña Margarita.

—Es igual que tú —afirmó[6] la duquesa de los Llanos.

—Idéntica —añadió la marquesa de Aigüestortes.

—Es verdad —dijo incluso[7] su hija Catalina.

—Tú eres más guapa —añadió Íñigo, su hijo pequeño.

No solo por frases así era el favorito de doña Margarita.

La duquesa le explicó a Jerónimo que pintaría uno de los cuadros de un díptico.

—¿Por qué solo uno de los dos? —preguntó el pintor.

—El otro lo pintará otro artista.

—¿Puedo saber quién?

—Miguel Blasco.

Jerónimo Soria no pareció muy contento al escuchar ese nombre.

—¿Es un problema? —preguntó la duquesa.

GLOSARIO

[4] **soler**: hacer regularmente [5] **retrato**: imagen de una persona [6] **afirmar**: decir [7] **incluso**: hasta, aun

—Si no lo es para ustedes, para mí tampoco —respondió Soria muy diplomático.

La duquesa sintió entonces la necesidad de contarle por lo menos una parte de la discusión con su hijo. El pintor entendió las razones y aceptó el encargo.

—Su cuadro irá a la derecha y representará la subida al cielo del duque. Quiero que se vea cómo los ángeles lo transportan y que entre los santos estén san Juan Bautista, santa Paula...

—¿Santa Paula?

—La patrona[8] de las viudas. También san Jorge, porque mi marido murió como un caballero.

—Cierto[9], señora.

Como he dicho, la historia de la muerte del duque era conocida en toda la ciudad.

—Y también quiero una imagen de santa Marina.

Jerónimo no preguntó, entendió enseguida que la duquesa quería aparecer en su cuadro escondida detrás de la imagen de una santa. Miró a la duquesa y asintió[10] con un movimiento de la cabeza. Doña Margarita siguió con su lista de deseos:

—En el cielo deben aparecer los niños muertos, mis dos hijos Isabel y Lorenzo, que murieron con pocos meses de edad.

En la mirada concentrada del pintor se podía ver perfectamente cómo empezaba a componer en su cabeza el cuadro con las figuras que le proponía.

—¿Las medidas? —preguntó entonces.

Doña Margarita le pasó un papel con las medidas del cuadro, casi cuatro metros de alto y tres de ancho.

—¿Los dos cuadros son igual de grandes?

Parecía una pregunta trivial, pero teniendo en cuenta cómo eran los artistas, era en realidad una cuestión delicada.

GLOSARIO

[8] **patrón**: santo que protege a un grupo [9] **cierto**: verdadero [10] **asentir**: decir que sí con la cabeza

—Idénticos —respondió doña Margarita.

—¿Cuándo podré empezar?

—Mañana mismo. Para el taller hemos preparado una de las habitaciones más luminosas de mi parte del palacio. La habitación de al lado la puede usar como dormitorio si lo desea.

—¿No puedo pintar en mi taller?

A Jerónimo Soria no le gustaban los cambios.

—Tanto mi hijo como yo preferimos que nadie vea los cuadros hasta que estén terminados.

—Pero en mi taller tengo mis pinturas y los ayudantes que me preparan los materiales.

—Como he dicho, para estos cuadros nosotros desearíamos absoluta discreción[11]. Cuando el díptico esté terminado, queremos donarlo[12] al convento y organizar una gran celebración religiosa. Ese día las pinturas se harán públicas por primera vez. Ni un día antes. Durante su trabajo, uno de nuestros criados lo ayudará a preparar los materiales y hacer las compras necesarias.

Jerónimo aceptó, aunque no estaba totalmente convencido.

—Para este encargo tendrá, además, la ayuda de don Sebastián Ledesma.

Ya nos habíamos saludado al principio de la conversación, pero volvimos a hacerlo.

—Sebastián es pariente nuestro y se encargará de supervisar el trabajo y de que se cumplan las reglas que establece el contrato.

—¿Qué reglas?

—Dedicación exclusiva a este encargo, discreción absoluta: nadie debe saber qué está pintando ni cómo. Si tiene preguntas, puede hablar con Sebastián Ledesma o conmigo misma, si es necesario.

GLOSARIO

[11] **discreción**: prudencia [12] **donar**: regalar, dar

Jerónimo aceptó de nuevo.

—¿No quiere saber cuánto le pagaremos? —preguntó la duquesa.

Este no era, por lo visto, el tema más importante para Jerónimo.

—Bueno.

—Mil quinientos ducados. Estos doscientos son por adelantado.

Doña Margarita le dio la bolsita con el dinero.

—Gracias, señora.

El pintor la tomó y la guardó en un bolsillo[13]. Entonces vi que debajo de la camisa llevaba un cordón[14] con tres nudos[15], como los monjes. Doña Margarita me pidió que acompañara a Jerónimo a ver unos retratos del duque que le iban a servir de modelos para el cuadro.

Recorrimos en silencio los pasillos del palacio. Jerónimo miraba con atención los objetos y los cuadros que lo decoraban, sobre todo los relojes. Cuando entendió que todos estaban parados a la misma hora, murmuró[16] algo en latín. No lo entendí, pero me pareció una buena excusa para preguntar:

—Antes he visto el cordón con los tres nudos. ¿Pertenece a[17] alguna orden? ¿Es monje?

—No, no soy monje, pero he hecho votos[18]. Tres votos. Mis votos.

Estábamos en un salón en cuya pared colgaba un retrato de don Juan de Mencía montando a caballo durante una cacería. Mientras Jerónimo lo miraba y, creo, lo memorizaba, me explicó:

GLOSARIO

[13] **bolsillo**: saco pequeño cosido dentro de la ropa y que sirve para meter cosas [14] **cordón**: cuerda fina [15] **nudo**: lazo que se estrecha y cierra y no se puede soltar por sí solo [16] **murmurar**: hablar en voz baja [17] **pertenecer a**: ser de [18] **hacer votos**: prometer a Dios que se renuncia a determinados placeres

—Este nudo me recuerda que tengo que ser casto[19] y evitar el contacto con las mujeres. Este otro nudo me dice que tengo que ser obediente[20] con las leyes de la Iglesia. El tercer nudo me ordena[21] ser humilde[22].

Jerónimo no pertenecía a ninguna orden religiosa. Esos votos eran sus votos privados, los principios que ordenaban su vida: castidad, obediencia y humildad.

Pronto supe que el último nudo era el más difícil para él, porque Jerónimo sabía que era un gran pintor y a veces era muy arrogante.

GLOSARIO

[19] **casto**: que renuncia al sexo [20] **obediente**: que respeta las normas [21] **ordenar:** obligar
[22] **humilde**: modesto, no arrogante

 pista 08

Capítulo VII
Miguel Blasco

Al día siguiente, don Luis habló con su pintor. Miguel Blasco venía, como Jerónimo Soria, de una familia de comerciantes. También, como Soria, destacó[1] desde muy pronto por su talento para la pintura, y por eso su padre lo llevó al taller de un pintor conocido en su ciudad natal, Valencia, donde había nacido en 1619. Era, por lo tanto, dieciocho años más joven que Jerónimo. En el taller de su maestro, Vicente Meliá, Miguel aprendió la técnica de la pintura y también latín, griego y gramática, porque Vicente Meliá pensaba que la pintura no era un trabajo artesanal, sino un arte.

Miguel participaba muy activamente en la discusión que en esa época ocupaba y dividía a los pintores. Unos consideraban la pintura como una actividad artesana; otros decían que un pintor no solo trabajaba con las manos, sino que también necesitaba conocimientos teóricos, como los poetas. Tenéis que saber que no se trataba solo de una cuestión de prestigio, sino también económica: los artesanos pagaban impuestos[2], los artistas no.

A don Luis estos temas no le interesaban nada, pero había escuchado cortésmente[3] la explicación de Miguel Blasco porque sabía que el pintor tenía tantos encargos que podía permitirse escoger y no quería que se enfadara. Yo, en cambio, lo escuchaba fascinado y, al final de la explicación, estaba con-

---

GLOSARIO

[1] **destacar**: sobresalir [2] **impuesto**: dinero que los ciudadanos pagan al Estado [3] **cortésmente**: con cortesía, con educación

vencido de que era cierto, los pintores eran artistas, mucho más artistas incluso que los poetas y los autores teatrales: eran los mayores artistas del mundo.

Después, don Luis le dio instrucciones precisas: dimensiones del cuadro, forma de trabajo, condiciones del contrato, el pago.

—¿Mil quinientos ducados?

—¿Es poco?

—Podría ser más.

Llegaron a dos mil y Miguel pareció satisfecho.

—El cuadro irá a la izquierda del díptico y representará el entierro de don Juan. En él aparecerá toda la familia: mi padre, mis hermanos Catalina e Íñigo y mi madre, doña Margarita.

Miguel escribía todo lo que le decía.

—¿Cómo debería vestir el duque?

—Con armadura[4], porque murió luchando, defendiendo el honor de una dama.

Miguel, a diferencia de Jerónimo, era muy curioso. Aunque todo Madrid conocía la historia, quería saber más detalles.

—¿Y nadie oyó los gritos? —preguntó el pintor.

—No. O tal vez tenían miedo y por eso nadie salió para ver o para ayudar.

—Y esa dama misteriosa, ¿no ha dado ninguna señal de agradecimiento[5], aunque sea anónima?

—No.

—¿Cuántos hombres la atacaron?

—Seis.

—Tenían que ser muy buenos. Dicen que don Juan podía hacer frente él solo a varios hombres sin perder el sombrero.

—Ya no era tan joven...

GLOSARIO

[4] **armadura**: protección de metal que cubría el cuerpo entero [5] **agradecimiento**: acto de dar las gracias por algo

Don Luis sonaba un poco impaciente.

—¿En qué lugar concreto de la calle lo encontró?

—Estaba apoyado contra la pared de una casa al principio de la calle de Santo Domingo.

—¿Cómo estaba el cuerpo?

—Estaba boca arriba[6] y se cubría[7] la herida con las manos porque perdía mucha sangre.

—¿Dónde estaba Melchor?

—Melchor estaba a su lado. Lloraba y gritaba, mientras intentaba ayudar a don Juan. ¿Para qué necesita saber todo esto?

—Es que estoy pensando que en lugar del entierro podría pintar la escena de la muerte del duque. Es más dramática. La lucha con los ladrones, la dama misteriosa...

—¡No! ¡Ni hablar[8]!

Silencio.

—El cuadro es para una capilla —siguió don Luis con una voz un poco más suave—. No quiero una escena violenta, sino una escena religiosa.

—De acuerdo. Tengo solo una pregunta más: ¿fue una única herida mortal?

—Sí, así fue. ¿Necesita saberlo para la escena del entierro?

—Sí, don Luis. ¿Dónde estaba la herida?

—En el lado izquierdo.

Miguel Blasco señaló su lado izquierdo justo debajo del brazo con expresión interrogante. Don Luis movió la cabeza negando[9] y le indicó que la herida había sido más abajo.

—Hmm. Entonces le perforó[10] el pulmón[11], seguramente.

—¿Es importante aclarar esta cuestión?

GLOSARIO

[6] **boca arriba**: sobre la espalda, con la cara hacia el cielo [7] **cubrir**: tapar [8] **¡ni hablar!**: expresión de negación absoluta [9] **negar**: decir que no [10] **perforar**: hacer un agujero [11] **pulmón**: cada uno de los dos órganos que se utilizan para respirar

Don Luis solo quería terminar de una vez[12] esa conversación.

Yo ya no escuchaba muy atento. En realidad estaba pensando si tenía que decirle a la duquesa que Miguel Blasco cobraría quinientos ducados más que Jerónimo Soria. Pensé que lo mejor era decírselo.

Cuando se lo dije, la duquesa decidió que había que pagarle exactamente lo mismo que a Blasco. Soria escuchó con indiferencia[13] la noticia de que le aumentaban[14] el sueldo[15]. Pero aceptó los quinientos ducados porque en ningún caso quería ganar menos que Blasco.

GLOSARIO

[12] **de una vez**: por fin [13] **con indiferencia**: sin interés [14] **aumentar**: crecer [15] **sueldo**: dinero que se obtiene por un trabajo

Capítulo VIII
Un juramento

El 1 de noviembre, solo una semana después de la conversación entre don Luis y doña Margarita, los dos pintores empezaron a trabajar. El taller de Jerónimo Soria estaba en el lado derecho del palacio, que era también la parte que ocupaba doña Margarita. El de Miguel Blasco estaba en el lado de don Luis, el izquierdo. Eso significaba que yo tenía que recorrer los pasillos del palacio de un lado al otro varias veces al día. Los criados de la casa se acostumbraron a[1] verme pasar, siempre vestido de negro. De izquierda a derecha y de derecha a izquierda desde que los pintores empezaban a trabajar con la primera luz del sol hasta que llegaba la noche.

El primer día de trabajo fui al taller de Miguel. El pintor estaba dibujando[2]. En la mesa había muchos dibujos y esquemas[3], pero cuando quise acercarme para verlos, no me lo permitió.

—Antes quiero hablar un momento contigo —me dijo muy serio.

Me puse muy serio también. Desde hacía unos días ya no me afeitaba, quería dejarme crecer barba y bigote para parecer mayor ante los dos artistas. Por eso también me vestía de negro.

Miguel me invitó a sentarme, lejos de los dibujos que tanto me interesaban.

GLOSARIO

[1] **acostumbrarse a**: familiarizarse con [2] **dibujar**: trazar una figura sobre un papel o similar [3] **esquema**: croquis, boceto, dibujo provisional

—Sebastián, tú vienes de buena familia, de una familia de honor. ¿Puedo confiar en ti? ¿Eres un hombre discreto, como corresponde a tu clase?

—Por supuesto.

—Entonces, puedo estar seguro de que no contarás a nadie cómo es mi cuadro.

—A nadie.

—Ni a la duquesa, si te pregunta, y menos aún a Jerónimo Soria.

—A nadie —respondí muy solemne y me puse la mano derecha en el corazón. Olvidé preguntar por qué.

Miguel sonrió y quedó convencido.

Yo no había firmado ningún contrato como ellos y me movía con total libertad de un taller a otro. Por eso, parecía que mi discreción preocupaba a los dos, porque pocas horas después tuve una conversación parecida en el taller de Jerónimo, quien me preguntó:

—Sebastián, de todos los santos que hay en el cielo, ¿a cuál quieres más?

La verdad es que no tenía ningún favorito, pero tenía que decir algo.

—San Pedro —respondí, porque era el nombre de mi padre y, además, me pareció que era un santo principal.

—Entonces, júrame por san Pedro que no contarás a nadie lo que hago en mi taller. Sobre todo a Miguel Blasco.

Esta vez sí pregunté por qué.

—Por si copia mis ideas.

Entendí que las razones de Miguel eran seguramente las mismas y, por supuesto[4], juré por san Pedro. Mientras lo hacía, Jerónimo me miraba fijamente a los ojos. Vio que era sincero y quedó convencido. Era así. Estaba seguro de poder cumplir mi juramento. Pero me equivocaba.

GLOSARIO

[4] **por supuesto**: naturalmente

 pista 10

Capítulo IX
Por los pasillos

Las palabras de Miguel durante su conversación con el duque me habían impresionado mucho, por eso el segundo día de trabajo le dije a Jerónimo:

—Miguel Blasco dice que la pintura es un arte y que el pintor es más que un artesano, que no se puede comparar, por ejemplo, pintar con hacer zapatos o telas.

—¿Eso dice? Mira, Sebastián, pintar no es más que poner colores sobre una tela y darles forma. Es un trabajo manual, pero más refinado y, sobre todo, al servicio de temas nobles: la religión, la historia... Nunca gente de la calle, como tanto le gusta a Blasco.

Por la tarde se lo conté a Miguel y este me respondió:

—Soria es un pintor anticuado. Es técnicamente bueno, pero solo pinta lo que otros ya han pintado, nunca experimenta, nunca prueba nada nuevo. No conoce a los maestros italianos, Miguel Ángel, Tiziano y Rafael. Yo viajé dos veces a Italia solo para ver sus obras y estudiarlas. Aprendí mucho del gran Caravaggio sobre la luz, la composición, el dramatismo.

—¿Caravaggio? —dijo Jerónimo al escuchar mi relato[1] al día siguiente—. Un horror, un degenerado[2]. ¡Qué figuras más horribles! ¡Qué luces más exageradas! ¡Qué exceso de dramatismo! Un horror.

GLOSARIO

[1] **relato**: narración de una historia [2] **degenerado**: loco, perverso

De este modo, aunque tenían prohibido hablar entre sí, los pintores encontraron en mi curiosidad y mis constantes pregun-vtas una forma de comunicarse. No podía evitarlo, quería saber lo que opinaban. Cada día tenía nuevas preguntas que hacerles.

El tercer día le pregunté a Miguel:

—¿Quién es el pintor más grande?

Él contestó sin dudar, mirando hacia el cielo, como cuando se mira a Dios:

—Velázquez.

Diego Rodríguez de Silva y Velázquez, que desde 1623 era pintor en la corte de Felipe IV, el favorito del rey, el único que podía retratarlo.

Al oír este nombre, Jerónimo dijo:

—Velázquez es técnicamente bueno.

Pero a continuación añadió:

—Pero, por desgracia[3], pinta con modelos indignos.

—¿Indignos? —yo ya imaginaba a qué se refería, pero quería conocer los argumentos de Jerónimo.

—Sí, indignos. Artesanos, campesinos, mendigos. Gente baja que no tiene derecho a[4] aparecer en un cuadro.

Se refería a los cuadros para los que Velázquez había tomado a personas que no eran nobles, a personas de la calle, como el cuadro que mostraba a una mujer vieja friendo huevos u otra pintura en la que había retratado a un vendedor de agua. Tampoco aceptaba los cuadros en los que Velázquez había tomado como modelos a mendigos de la calle para retratar a personajes mitológicos, como el dios de la guerra, Marte, o históricos, como el fabulista Esopo.

—¡Qué pena que malgaste su talento y su arte con esos modelos!

GLOSARIO

[3] **por desgracia**: lamentablemente [4] **no tener derecho a**: (aquí) no ser digno de, no merecer

Nunca me dijo cuál era su pintor preferido.

También las personalidades de los dos pintores eran muy diferentes. Cuando no pintaba, Miguel pasaba mucho tiempo en los teatros y las tabernas de Madrid, muchas veces con gente que tenía muy mala fama: actores y actrices, soldados y veteranos de las guerras de Flandes, gente sin oficio conocido y mujeres de un oficio muy conocido, espero que me entiendan. Entre estas personas encontró, a veces, algunos de sus modelos. Algunos se escandalizaron al saber que el modelo para el famoso cuadro de San Francisco era un comerciante de vinos de Álava que conoció en una taberna de la calle Postas. Un par de veces me llevó con él a esa taberna. No se lo conté a don Luis, y mucho menos a la duquesa, porque la gente que había allí no era la gente que querían para mí. Pero a mí me gustaba, porque había varios antiguos soldados que contaban siempre historias de sus experiencias en Flandes y en América.

A una taberna así nunca iría Jerónimo. Cuando no pintaba, pasaba horas leyendo o se encerraba en[5] el convento de los dominicos. Esta costumbre nos salvó la vida poco después.

GLOSARIO

[5] **encerrarse en**: (aquí) refugiarse en un lugar

 pista 11

Capítulo X
Trucos

Pasaron los días, las semanas. Los dos pintores trabajaban en sus obras, aprovechaban todas las horas de luz, cada día menos porque casi era invierno. Después Miguel se marchaba a alguna taberna y Jerónimo se encerraba a leer.

Yo prefería la compañía de Miguel, que era más joven y mucho más divertido, pero para ser fiel[1] a mi encargo, también pasaba algunas horas con Jerónimo leyendo a la luz de las velas[2]. Soria quería contrarrestar[3] la influencia, en su opinión, negativa de Miguel y por eso me ofrecía libros religiosos y morales. Al principio me esforcé por leerlos, pero eran terriblemente aburridos.

Un día tuve una gran idea: esconder[4] otros libros dentro de las tapas[5] de los libros que me prestaba Jerónimo. Creo que al principio él no sospechó[6] nada. Hasta que en la cubierta de un libro sobre la vida de los santos metí en realidad la primera parte de *El ingenioso hidalgo don Quijote de la Mancha* de Miguel de Cervantes. Como las otras veces, comí un poco con Jerónimo y después cada uno de nosotros se sentó al lado de unas velas a leer su libro. Pero el libro era tan divertido que no podía contener la risa y eso no es normal cuando se leen vidas de santos. Empecé a toser[7] para disimular[8].

GLOSARIO

[1] **fiel**: leal [2] **vela**: objeto de cera para dar luz [3] **contrarrestar**: equilibrar [4] **esconder**: ocultar [5] **tapa**: (aquí) cubierta [6] **sospechar**: dudar [7] **toser**: hacer fuerza con la respiración para sacar del pecho lo que molesta [8] **disimular**: actuar para distraer la atención de alguien

—Tienes que tener cuidado con el frío, Sebastián. Toses mucho hoy.

Creo que se había dado cuenta de mi truco, pero no lo dijo porque le gustaba tener un poco de compañía y, seguramente, pensaba que por lo menos así no salía con Miguel de taberna en taberna. De este modo, esos días leí el libro entero.

Después, cuando regresaba a mi cuarto para dormir, caminaba[9] por los pasillos y los salones oscuros del palacio, silenciosos sin el sonido de los relojes del duque. El relojero de Augsburgo, sin nada que hacer en esa casa, ya había regresado a su ciudad.

Así pasaban los días. Don Luis pasaba muchas horas en la corte; la duquesa se ocupaba de la casa y de la educación de su hijo pequeño, Íñigo, casi siempre acompañada de su fiel Amalia.

Los pintores trabajaban y yo los ayudaba. Ambos sentían una gran curiosidad por lo que estaba haciendo el otro e intentaban conseguir información con preguntas más o menos indirectas. Pero yo había jurado ser discreto. Lo había jurado dos veces. Así que, por el honor de mi familia y por san Pedro, me esforcé por cumplir mi juramento, aunque ellos lo hacían muy difícil.

—Supongo que Jerónimo Soria no ha hecho ningún dibujo —me dijo una vez Miguel mientras yo miraba los suyos.

—Tienes una mancha roja en el zapato. Parece que a Blasco le gusta especialmente este color —me dijo Jerónimo en una ocasión mientras comíamos.

—Me imagino que Soria está pintando ángeles… —comentó Miguel una noche en una taberna.

—Blasco siempre pinta con modelos, a veces incluso con gente de la calle. Espero que el duque no lo permita en su casa —me dijo Jerónimo en otra ocasión.

GLOSARIO

[9] **caminar**: andarp

Ante estos intentos de obtener información, yo nunca decía nada, solo sonreía[10].

Pero mientras recorría los pasillos del palacio para ir de un taller a otro, decía en voz muy baja las respuestas, solo para mí mismo:

—Sí, Jerónimo hace muchos dibujos, muchísimos.

—Sí, a Miguel le gusta mucho el rojo. Hay mucho rojo en el cuadro.

—Sí, Jerónimo está pintando ángeles, tres en concreto. Muy bellos.

—No, Miguel no usa a nadie de la calle como modelo, pero tiene un modelo.

Era yo.

Por supuesto no me parecía nada a las personas originales, pero Blasco necesitaba un modelo para copiar las formas y las posiciones de los cuerpos.

Esta fue la causa de la indiscreción que puso en marcha[11] la historia.

GLOSARIO

[10] **sonreír**: reír ligeramente y sin ruido [11] **poner en marcha**: comenzar

pista 12

Capítulo XI
Una indiscreción

Los pintores llevaban ya un mes trabajando cuando sucedió.

Jerónimo había terminado la imagen del duque. El cuerpo de don Juan vestido por completo de negro estaba de rodillas con los ojos cerrados y las manos unidas como rezando sobre una capa azul que sostenían[1] dos ángeles. Uno de los ángeles miraba hacia el cielo; el otro miraba a la cara del duque. Un tercer ángel sostenía al duque y con una mano cubría la herida mortal. Alrededor había otras figuras, personas importantes y los santos que había pedido doña Margarita.

Miguel estaba terminando la escena central, el entierro del duque. El cuerpo, vestido con una riquísima armadura, estaba tumbado sobre una tela muy bella, sus manos estaban juntas sobre el pecho[2]. Alrededor estaba la familia del duque llorando su muerte.

Como a él le gustaba mostrar los cuerpos y los movimientos de una manera realista, me pidió que posara[3] como las diferentes personas: como el duque, como doña Margarita, como doña Catalina, como don Luis, él los dibujaba primero sobre papel y después en el cuadro. Así, poco a poco, la escena tomaba forma.

La catástrofe sucedió cuando tomé la posición de la última figura, que representaba a Íñigo. En el cuadro Íñigo aparecía de rodillas[4] ante el cuerpo de su padre y señalaba[5] con un dedo el lugar donde estaba la herida. Blasco me daba instrucciones:

GLOSARIO

[1] **sostener**: tener en las manos [2] **pecho**: parte del cuerpo entre el cuello y el vientre [3] **posar**: servir de modelo a un artista [4] **de rodillas**: con las rodillas en el suelo [5] **señalar**: mostrar

—Levanta la cabeza, pon las piernas juntas, la mano izquierda en la cintura[6], la mano derecha señala la herida.

Entonces empecé a reír[7].

—¿De qué te ríes, Sebastián?

—Es que no puedo decirlo.

—Entonces, no te muevas y señala la herida del duque.

Me eché a reír otra vez. Miguel se enfadó.

—O me dices por qué te ríes o busco otro modelo.

—Es que…

Miguel se acercó a la puerta del taller y la abrió para echarme. Entonces hablé.

Muchos años más tarde, cuando recuerdo ese momento, tengo que admitir que fue un error fatal y me siento muy culpable; otras veces pienso que mi indiscreción fue un instrumento de justicia. Otras veces, pocas, me digo que entonces era un niño, que solo tenía catorce años y que no sabía nada del mundo. Solo era un niño que dijo sin pensar:

—Jerónimo Soria se ha equivocado. Él está pintando la herida en el lado derecho.

Empecé a reír de nuevo.

—¿Estás seguro? —preguntó muy serio.

—Sí.

Miguel dejó el pincel[8] sobre la mesa, se sentó delante del cuadro y estuvo varios minutos en silencio, pensando. No me atrevía a moverme y me quedé quieto como una estatua, con la mano derecha señalando la herida imaginaria en el lado izquierdo.

De pronto, se levantó y me dijo:

—Acompáñame al taller de Jerónimo Soria.

No esperó mi respuesta. Salió del taller. Lo seguí.

GLOSARIO

[6] **cintura**: parte más estrecha del cuerpo humano entre la cadera y el tronco [7] **reír**: mostrar alegría mediante la risa [8] **pincel**: utensilio que se utiliza para pintar

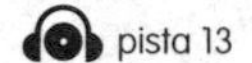
pista 13

Capítulo XII
La herida del duque de la Ribera

Miguel caminaba rápido hacia el taller de Jerónimo. Casi corría. Yo intentaba frenarlo[1].

—No debemos. Vosotros mismos os habéis prohibido ver los cuadros... Me habéis hecho jurar que...

Miguel no me escuchaba y me arrastraba[2] por los pasillos.

—Venga, Sebastián.

Nos cruzamos con un par de criados que nos miraron un poco extrañados.

Llegamos a la puerta del taller. Miguel entró sin llamar. Jerónimo, que estaba preparando unos colores, nos miró asombrado y después reaccionó. Se acercó furioso a mí y me gritó:

—¿Qué has hecho? ¿Por qué lo has traído aquí?

No llegué a abrir la boca, Miguel habló por mí:

—No me ha traído Sebastián, soy yo quien quería verte.

—¿Todavía por aquí? Pensaba que ya estarías en alguna taberna buscando modelos.

Miguel ignoró las palabras de Soria y dio un paso más en dirección al cuadro.

—¿Qué miras? —preguntó Jerónimo.

—Quería ver tu cuadro.

—¿Para qué? ¿Quieres copiar mis ideas? —dijo el otro con arrogancia.

GLOSARIO

[1] **frenar**: detener o disminuir la velocidad [2] **arrastrar**: tirar o empujar de alguien hacia un lugar

Miguel le respondió también con arrogancia:

—¿Copiar ideas? ¿Qué ideas? No veo ninguna.

Pero se movía de un lado a otro intentado ver el cuadro de Jerónimo.

—Entonces, fuera de aquí, vete.

—Es que tengo que verlo.

—Pero yo no quiero.

—No me importa. Tengo que saber algo.

Pero Jerónimo no quería permitirlo y se puso delante de Miguel para impedirlo[3]. Lo empujaba[4] hacia la puerta, Miguel se resistía[5] y luchaba por quedarse. No miraba a Jerónimo, sino que tenía los ojos fijos en el cuadro. Entonces Jerónimo levantó el brazo y le dio un fuerte puñetazo[6] en el estómago a su rival, que cayó de rodillas al suelo. El golpe le hizo cerrar los ojos, pero en cuanto los pudo abrir de nuevo miró el cuadro. Por fin consiguió ver lo que buscaba.

—Es verdad. Está a la derecha —dijo casi sin voz a causa del puñetazo.

—¿Qué? —Jerónimo se volvió hacia su cuadro.

—¿Qué está a la derecha?

—La herida.

—Sí, ¿y qué?

—Yo la estoy pintando a la izquierda.

—Bueno.

Jerónimo se acercó a Miguel, le tendió[7] la mano y lo ayudó a levantarse.

—Ahora, vete.

Miguel ignoró la orden y se dirigió a Jerónimo:

—¿No lo ves? Tu herida está a la derecha, la mía a la izquierda.

GLOSARIO

[3] **impedir**: evitar [4] **empujar**: hacer fuerza contra alguien o algo para moverlo [5] **resistirse**: oponerse con fuerza a algo [6] **puñetazo**: golpe que se da con el puño de la mano [7] **tender**: ofrecer la mano extendida

—No importa. La herida solo es un símbolo. Y ahora, dejadme tranquilo, tengo que seguir trabajando.

—Jerónimo, estos dos cuadros van a estar colgados uno al lado del otro en una capilla. Todo el mundo verá la diferencia. Todo el mundo notará la diferencia y todo el mundo empezará a hablar.

Como ya he dicho, las habladurías y los rumores eran una de las especialidades de la gente en esa ciudad y podían ser terriblemente peligrosos.

Jerónimo ya no quería echar a Miguel del estudio; al contrario, los dos pintores se pusieron frente al cuadro y miraron la mano del ángel que cubría en el lado derecho del cuerpo del duque el lugar en el que estaba la herida mortal.

—¿Por qué la has pintado a la derecha?

—Porque doña Margarita me dijo que lo habían herido en el lado derecho.

—¿Estás seguro?

Jerónimo no contestó. Su cara lo decía todo. Por eso Miguel siguió hablando:

—A mí don Luis me contó que lo habían herido en el lado izquierdo. ¿Te das cuenta?

—Estamos pintando dos versiones diferentes.

—Tenemos que saber cuál es la verdad. Si no, no podemos seguir trabajando.

Los dos pintores estuvieron un rato en silencio pensando qué podían hacer, hasta que al final, como en un momento de inspiración, ambos dijeron a la vez:

—Tenemos que hablar con ellos.

—Pero don Luis no está en el palacio. Está en Valladolid visitando a su hermana —dijo Miguel.

—Entonces tendremos que hablar con doña Margarita.

De pronto, los dos parecieron recordar que yo estaba allí, sentado en un rincón, en silencio, casi sin respirar.

—Sebastián —dijo Jerónimo—, ¿podrías preguntar a doña Margarita si puede venir a hablar conmigo?

Salí corriendo y busqué a doña Margarita por el palacio.

La encontré en un salón bordando[8] con varias damas. Parecían muy aburridas y se alegraron de mi aparición.

—¡Qué sorpresa! ¿Qué haces aquí? ¿Quieres tomar un chocolate con nosotras?

Alguna de las damas ya se relamía[9] los labios pensando en la taza de chocolate dulce y caliente y los magníficos dulces que siempre se servían en esa casa, pero las decepcioné. Le dije a la duquesa que Jerónimo Soria deseaba hablar con ella.

—Es por el cuadro, ¿verdad? —le brillaron los ojos.

—Sí, señora, pero no puedo decir más en público.

—Entiendo. Entonces, creo que lo mejor será ir enseguida a hablar con el pintor. Vamos, Amalia.

No me atreví a decirle que tenía que venir sola. Amalia era como la sombra[10] de la duquesa, su consejera, su protectora. Se levantó, dejó la tela sobre la silla y salió con nosotros.

Dejamos a las damas con sus bordados muertas de[11] curiosidad y sin chocolate.

Acompañé a doña Margarita y a Amalia Garay al taller de Jerónimo. No hablamos durante el camino; la duquesa notaba que estaba a punto de pasar algo importante y estaba nerviosa. Recorrimos los pasillos oscuros del palacio. En cada salón varios relojes parados marcaban para siempre la hora de la muerte del duque.

O eso creíamos, porque en la conversación que siguió conocimos una parte de la verdad sobre la muerte de don Juan.

GLOSARIO

[8] **bordar**: decorar una tela con hilo cosido [9] **relamerse**: pasarse la lengua por los labios [10] **sombra**: proyección de la forma de una persona por efecto de la luz, (aquí) persona que no se separa de alguien [11] **muerto de**: (aquí) con muchísimo

Capítulo XIII
Una revelación

Entramos en el taller. Los pintores saludaron a doña Margarita con una reverencia[1]. Ella se quedó muy sorprendida al verlos juntos. Pero, en vez de preguntar a qué se debía esa reunión, se acercó al cuadro con los ojos muy abiertos. Amalia se quedó en la puerta.

—¡Qué maravilla! —dijo la duquesa.

No había visto el cuadro desde la semana anterior y observaba con gran interés todos los cambios.

—Gracias, señora —respondió Jerónimo y miró orgulloso a Miguel.

Lo primero en lo que se fijó[2] doña Margarita fue en la figura de mujer que representaba a santa Marina. Llevaba un vestido rojo y una capa azul con brocados[3] de un realismo asombroso; la tela parecía tan real que casi se podía notar su peso sobre los brazos levantados al cielo de la santa. A la duquesa le gustó mucho, pero le gustó más que la santa se parecía mucho a ella. Era en realidad un retrato de doña Margarita. Jerónimo había cumplido con sus expectativas secretas.

Después se fijó en la figura del duque, que ya estaba completa. Su cara se reconocía sin problemas: el pelo y la barba rubios, la nariz recta, la frente[4] ancha. Unos ángeles lo llevaban hacia el cielo, su destino.

GLOSARIO

[1] **reverencia**: inclinación del cuerpo para mostrar respeto [2] **fijarse en**: prestar atención a
[3] **brocado**: tela entretejida con oro o plata [4] **frente**: parte superior de la cara

—Es él —dijo la duquesa emocionada acercando la mano al cuadro pero sin tocarlo—. Es don Juan. ¡Qué retrato más fiel!

Jerónimo le preguntó entonces:

—¿También es fiel la herida, señora?

Doña Margarita quedó inmóvil. Todos estábamos en silencio. La duquesa delante del cuadro, Jerónimo detrás de ella, Miguel a un lado con los brazos cruzados sobre el pecho y yo, como Amalia, al lado de la puerta, observando la escena como en el teatro.

Jerónimo repitió la pregunta:

—¿También es fiel la herida, señora?

—¿Por qué lo preguntas? —preguntó ella sin darse la vuelta. La voz le temblaba[5].

Miguel iba a decir algo, pero Jerónimo le hizo una señal y comprendió que no debía hablar. Fue él quien respondió:

—Miguel Blasco la está pintando a la izquierda.

—¿Por qué? ¿Por qué la pinta a la izquierda? —preguntó doña Margarita.

Esta vez sí que respondió Miguel:

—Porque así me lo dijo don Luis.

Doña Margarita se volvió de repente.

—¿Eso dijo?

Miró primero a Amalia, después a Jerónimo y Miguel y, finalmente, a mí.

—Supongo que deseáis una explicación.

Nadie se atrevía a decir que sí, a exigir una respuesta. Ella era la duquesa de la Ribera. ¿Y quién éramos nosotros? Dos pintores, para doña Margarita solo dos artesanos, y un muchacho de catorce años. Pero, por lo visto, doña Margarita quería hablar, necesitaba hablar.

GLOSARIO

[5] **temblar**: tiritar

—Está bien. Os lo contaré. Pero mi hijo no debe saber que os lo he contado y mucho menos debe saberse fuera de esta casa. Si alguno de vosotros dos —señaló a los pintores— hace público este secreto, yo personalmente me encargaré de[6] que no pinte nunca más en España.

Era una amenaza[7] terrible; Jerónimo y Miguel sabían que la podía cumplir. La duquesa me miró entonces a mí. Sus ojos castaños, que siempre me parecían tan amables y cálidos, tenían ahora una mirada dura.

—Y tú, Sebastián, espero que sepas callar como un hombre de honor.

Bajé los ojos avergonzado[8]. No me sentía como un hombre de honor, precisamente mi indiscreción había causado esa situación. Estaba a punto de decirlo, pero Miguel adivinó[9] mis intenciones y me frenó. Seguramente pensó que, si yo confesaba[10], la duquesa no nos iba a contar la verdad, por eso no me dejó hablar y dijo:

—Por supuesto. Todos sabemos que Sebastián es digno de confianza.

Aún sentí más vergüenza. Tenía ganas de llorar, pero la curiosidad era más fuerte. Callé.

Buscamos unas sillas y nos sentamos para escuchar lo que nos iba a contar la duquesa.

GLOSARIO

[6] **encargarse de**: ocuparse de, dedicarse a [7] **amenaza**: aviso para intimidar a alguien
[8] **avergonzado**: que siente vergüenza [9] **adivinar**: (aquí) descubrir mediante la intuición
[10] **confesar**: expresar voluntariamente una persona sus actos, ideas o sentimientos

pista 15

Capítulo XIV

La segunda muerte del duque de la Ribera

Así nos contó doña Margarita lo que pasó el 26 de septiembre, el día en que pararon los relojes en el palacio:

—Por lo que sé gracias a Melchor, la conversación con el rey fue muy larga. Melchor estuvo varias horas esperando en un salón. Después, don Juan salió muy contento y le dijo a Melchor que tenían que celebrar un gran éxito.

—¿De qué se trataba? —preguntó Jerónimo. Lo hizo con una voz suave, como la de los sacerdotes[1] cuando confiesan[2].

—El rey lo había nombrado Grande de España.

¡Grande de España! Eso es el mayor honor, significa el grado más alto de la nobleza en España. ¡Los grandes pueden estar con el rey sin quitarse el sombrero!

—Políticamente —dijo ella—, significaba que el rey pensaba en don Juan como posible ministro.

La duquesa nos contó después que don Juan y Melchor fueron a una taberna y allí estuvieron tomando vino y festejando[3]. Todo eso ya lo sabíamos y doña Margarita nos lo contaba sin dificultades, pero después su relato llegó a un punto difícil.

—Y después —siguió contando con la vista baja— fueron a una casa de mujeres. Pasaron allí varias horas. Demasiadas, porque por lo visto alguien también quería los servicios de

---

GLOSARIO

[1] **sacerdote**: en la Iglesia católica, persona que celebra misa [2] **confesar**: (aquí) escuchar los pecados de una persona para darle la absolución [3] **festejar**: celebrar, ir de fiesta

la mujer con la que estaba mi marido. Como él seguía en la habitación con la mujer, este hombre entró allí y...

Hizo una pausa. Lo que tenía que decir a continuación era muy difícil para ella.

—Y como don Juan estaba encima de la mujer, el hombre le clavó[4] un cuchillo en la espalda. La mujer gritó y Melchor, que estaba en la habitación de al lado, salió corriendo. Se encontró con el hombre que llevaba el cuchillo en la mano. Melchor había cogido la espada[5], pero el otro lo atacó sin aviso[6] y lo hirió de gravedad.

Doña Margarita hizo otra pausa y se secó[7] las lágrimas de los ojos.

—¿Qué pasó después? —volvió a preguntar Jerónimo con suavidad.

—Aprovechando la sorpresa, el hombre bajó corriendo la escalera y escapó a la calle. El dueño de la casa envió a un criado y él nos avisó. Mi hijo salió a buscarlo. Cuando llegó, su padre ya había muerto. Metió el cuerpo en la carroza, también a Melchor, a pesar de que estaba malherido, y los trajo a ambos a casa.

Ahora que la duquesa hablaba de él, me di cuenta de que no había vuelto a ver a Melchor desde el día del entierro del duque. Por eso me atreví a interrumpirla y a preguntar:

—¿Dónde está Melchor?

—Le hemos dado una habitación en la planta baja del palacio, con vistas al jardín. Allí se recupera[8] poco a poco. Ya puede caminar, pero le cuesta mucho mover el brazo derecho. Un criado de mi hijo lo atiende[9]. Es lo mínimo que podemos

---

GLOSARIO

[4] **clavar**: introducir un clavo u otra cosa con punta en una superficie [5] **espada**: arma blanca larga [6] **aviso**: anuncio, advertencia [7] **secar**: eliminar los restos de agua [8] **recuperarse**: volver a un estado de normalidad después de una enfermedad u otra situación difícil [9] **atender**: ocuparse de

hacer por alguien que puso su vida en peligro por intentar salvar a su señor. Aunque no lo lograra.

Hizo una pequeña pausa. Buscó la mirada de Amalia para poder terminar la historia. Parecía que Amalia le daba fuerzas y pudo seguir.

—Esta historia no podía hacerse pública, por el honor de don Juan y el de toda la casa de los Ribera. Por eso inventamos la historia del asalto a la dama desconocida.

Los tres movimos la cabeza mostrando que comprendíamos sus motivos.

—Pero —doña Margarita sonrió con tristeza— no tuvimos en cuenta todos los detalles…

Ambos pintores tenían la misma pregunta. Fue Miguel quien la hizo…

—Entonces, ¿la herida mortal fue en la espalda?

—Sí, una sola herida, en la espalda. La vi cuando lavaron el cuerpo para vestirlo para el entierro. Una sola herida en la espalda.

—¿En qué lado tenemos que pintarla nosotros?

Para los pintores lo que la duquesa había explicado significaba, sobre todo, que uno de ellos tenía que cambiar su cuadro.

La duquesa resolvió el conflicto de los pintores cuando dijo:

—No quiero que mi hijo sepa que os he contado la verdad. Por eso Jerónimo deberá cambiar la composición de su cuadro. La herida tiene que estar a la izquierda, como don Luis le dijo a Miguel Blasco.

Jerónimo entendió que las palabras de doña Margarita eran una orden.

—Sí, señora. Así lo haré.

Eso era todo. La duquesa se levantó y miró una vez más el cuadro de Jerónimo.

—Solo hay que cambiar la posición de las manos del ángel que sostiene al duque.

—Así será, señora.

Amalia abrió la puerta. Antes de salir del taller, doña Margarita nos dijo:

—Confío en vuestra discreción. Ni una palabra a mi hijo.

No esperó a escuchar las respuestas, se marchó y cerró la puerta. Escuchamos sus pasos mientras se alejaban del taller.

Lo primero que pensé es que seguramente llamaría a alguna criada para que le preparara una taza de chocolate, pero no dije nada porque Jerónimo miraba a la puerta con expresión triste.

—Pobre mujer —dijo compasivo[10]—. ¡Qué vergüenza para la familia! Un hombre tan grande y tan poderoso y muere apuñalado por la espalda por un villano[11] mientras está en la cama con una prostituta.

Miguel, en cambio, no parecía pensar en el mal momento que había pasado doña Margarita ni en la vergüenza que suponía para ella y para la familia la historia que nos había contado. Se echó a reír mientras decía:

—Y decían que murió por defender el honor de una dama..., mientras en realidad estaba con una puta desde hacía horas. Seguramente esa mujer ahora llevará vestidos de seda y no tendrá que trabajar durante mucho tiempo.

—¿Por qué? —pregunté yo, que entonces era todavía muy ingenuo[12].

—Los duques han tenido que pagar su silencio. Y en un asunto como este, el silencio es muy caro. Me imagino que cuesta una pequeña fortuna. Y después cuentan por todo Madrid que el duque murió por defender el honor de una dama misteriosa.

No podía dejar de reír y yo acabé también riendo. Jerónimo se enfadó muchísimo.

—¿Pero cómo os podéis reír así de una desgracia tan grande? El duque murió en pecado[13]. Murió en un burdel

---

GLOSARIO

[10] **compasivo**: que siente compasión, lástima por quien está sufriendo [11] **villano**: ruin, indigno [12] **ingenuo**: inocente, *naíf* [13] **en pecado**: sin haberse confesado

sin haber recibido los sacramentos[14]. Y yo estoy pintando su subida al cielo transportado por los ángeles...

Señaló su propio cuadro y dejó de hablar de repente. Seguramente acababa de recordar las órdenes de doña Margarita. Olvidó su compasión, olvidó su enfado con Miguel y conmigo y empezó a mover la cabeza de un lado al otro.

—«Solo hay que cambiar la posición de las manos del ángel», ha dicho. ¿Solo? Esto significa que tengo que cambiar también la posición del cuerpo del duque. Y si cambio la posición del cuerpo del duque, tengo que cambiar también las posiciones de los ángeles que lo llevan al cielo. Y si cambio los ángeles tengo que cambiar también a las otras personas.

Estaba furioso[15]. Cogió un pincel, lo mojó en pintura negra y, moviéndolo como si fuera una espada, empezó a pintar el cuadro de negro.

—¿Qué haces? ¿Estás loco? ¡Ayúdame, Sebastián!

Miguel se puso delante del cuadro. Yo le quité a Jerónimo el pincel de las manos.

—¡Dejadme! ¡Dejadme en paz!

Intentó apartar[16] a Miguel, pero este era más fuerte. Finalmente, Jerónimo se tranquilizó un poco.

—Está bien. Dejadme.

—Solo si prometes que no harás ninguna barbaridad[17] con el cuadro.

—Lo prometo, pero ahora dejadme solo, por favor.

GLOSARIO

[14] **recibir los sacramentos**: rito cristiano que consiste en preparar al enfermo para la vida eterna librándolo de sus pecados [15] **furioso**: muy enfadado [16] **apartar**: echar a un lado [17] **barbaridad**: disparate, acto excesivo y sin sentido

Capítulo XV
La curiosidad de Sebastián

Dos días después regresó don Luis de Mencía. Poco después de llegar al palacio fue al taller de Miguel Blasco. Yo también estaba allí.

Justo en el momento en que entró don Luis, el pintor estaba terminando de pintar la barba rubia en el retrato del joven duque en la escena del entierro. Al momento dejó de pintar, saludó a don Luis con una reverencia y se apartó del cuadro. Don Luis saludó también, pero su atención se dirigía solo a la pintura. Parece que lo que veía le gustaba mucho.

—Bien, bien. Muy buen retrato.

Dijo varias veces mirando el cuadro, primero de lejos, después de cerca para observar los detalles. Miguel seguía muy atento sus movimientos y sus palabras.

Don Luis estaba fascinado por el cuadro y, sobre todo, por su retrato. Miguel había hecho varios estudios de la cara del joven duque, de doña Margarita y de Íñigo. Incluso la hija mayor, Catalina, había venido desde Valladolid para posar varias horas. Para la cara del duque, los dos pintores se inspiraban en los retratos de don Juan que había en la casa. Todavía no había ningún retrato de don Luis en la casa y este miraba su cara pintada en el cuadro.

—Bien, bien —repetía.

Al notar que el joven duque estaba tan satisfecho con su trabajo, Miguel le pidió una cosa:

—Me gustaría pintar a Melchor García en la escena.

Don Luis lo miró asombrado:

—¿A Melchor García? ¿Por qué?

—Porque arriesgó su vida para defender a don Juan.

Como don Luis lo miraba de una manera extraña, añadió:

—No lo pintaré con la familia, sino en un discreto segundo plano. Solo tendrá que posar unas horas, si las heridas lo permiten.

—Me temo que no es posible. Melchor no está en condiciones de posar. Además, en el cuadro solo quiero a personas de la familia. Está bien como está ahora. Muy bien —dijo por última vez y se marchó.

—Lástima[1] —fue lo único que dijo Miguel y siguió trabajando.

Pero esa conversación me había recordado una vez más que no había vuelto a ver a Melchor desde el 26 de septiembre.

Dejé al pintor trabajando y busqué su habitación. A Melchor García le habían dado una habitación separada del resto de los criados. Estaba en la parte trasera[2] del palacio, en la planta baja, y daba al jardín. Era un enorme jardín que varios jardineros cuidaban siguiendo la estricta moda francesa: caminos ordenados, flores dispuestas en formas geométricas, cuadrados, rectángulos, triángulos, árboles y arbustos[3] cortados también geométricamente.

Los duques se ocupaban de que no le faltara nada: buena comida, para recuperar fuerzas, vino tinto, para recuperar la sangre perdida, y entretenimiento[4]. Como Melchor casi no sabía leer, cada día un criado iba a su habitación y le leía durante un par de horas, sobre todo obras teatrales de Lope de Vega y Pedro Calderón de la Barca.

Yo sabía que tenía que ser discreto; por eso me acerqué a la habitación de Melchor cuando estuve seguro de que nadie podía verme. La mejor hora era el mediodía porque a esa hora

---

GLOSARIO

[1] **lástima**: pena [2] **trasero**: que está detrás [3] **arbusto**: planta similar a un árbol pequeño [4] **entretenimiento**: diversión

ya le había servido también la comida. El lector lo visitaba siempre más tarde.

Recorrí varios pasillos y llegué por fin a esa parte del palacio. No había estado nunca allí. Había varias puertas cerradas, no sabía cuál era la de la habitación de Melchor. Abrí la primera. Sobre una mesa vi el sombrero negro que solía llevar cuando acompañaba al duque, pero él no estaba allí.

De pronto, escuché pasos detrás de mí, me di la vuelta y llegué a ver la silueta de alguien que salía corriendo al jardín. Me pareció que era Melchor, pero no podía ser, porque el hombre corría y se movía sin dificultades y sabíamos que Melchor estaba herido y no podía moverse bien. Corrí detrás, pero ya no lo vi.

Regresé a la habitación. La puerta estaba cerrada de nuevo. Intenté abrirla, pero alguien la había cerrado con llave. De otra habitación salió un hombre, un criado y me dijo:

—Las visitas están prohibidas.

—Pero es que él no...

—Melchor necesita descanso absoluto —dijo otro hombre que apareció de pronto a mi lado.

Me marché. Mientras me alejaba, me encontré con varios criados que me miraron al pasar. Hasta entonces, los criados habían sido invisibles para mí, estaban allí como los muebles, los cuadros y los relojes silenciosos del duque. Pero en ese momento me di cuenta precisamente de que siempre estaban allí, observando. ¿Me seguían también?

Por primera vez desde que estaba en Madrid me sentí un extraño en esa casa. Sentí miedo también. No sabía a qué, pero tenía miedo.

pista 17

Capítulo XVI
Las dudas de Miguel

Al día siguiente, entré por la mañana en el taller de Miguel. No estaba pintando, estaba sentado en silencio delante del cuadro. Parecía preocupado.

—¿Problemas?

—Sobre todo dudas.

—¿Por el cuadro?

—No, por la historia de la muerte del duque.

—Hay cosas que no están claras, ¿verdad?

—Así es, Sebastián. Hay varias cosas en esta historia que no me convencen. Ya sé que para los duques lo más importante es proteger el honor y el nombre de la familia, pero no entiendo por qué no hacen nada para encontrar al hombre que mató a don Juan. Ni a los supuestos[1] asaltantes de la dama misteriosa ni al hombre que realmente lo mató por la espalda. ¿Por qué no quieren encontrar al culpable?

—Quizás porque esto llegaría al público.

—Los duques pueden impedirlo. Si quieren, pueden conseguir que la investigación y el juicio de los culpables sean secretos.

—Pero en Madrid no hay secretos —dije yo.

—Tienes razón.

GLOSARIO

[1] **supuesto**: presunto, potencial, que se cree que es

Mi comentario eliminó algunas dudas y despertó otras nuevas, que no podía expresar todavía. Pero estaban ahí y necesitaba resolverlas.

Esa noche lo acompañé a una taberna. Aprovechó que muchos de los clientes estaban borrachos y habladores para hablar de la muerte del duque. Muchos nos contaron cosas, pero siempre sobre la versión que ya conocíamos, la dama misteriosa, los ladrones... Nadie habló de una pelea en un prostíbulo.

Miguel me miraba de vez en cuando y me decía:

—Siempre lo mismo.

Hasta que un criado de los marqueses de Los Llanos nos dijo:

—Los duques de la Ribera son los más generosos de España —estaba muy borracho—. A Melchor García le han regalado tierras y una casa en Segovia. Ya no tendrá que trabajar nunca más. Podrá cumplir el sueño de cualquier español: vivir de una renta[2] el resto de su vida.

Eso era nuevo. Todavía no sabíamos qué significaba realmente. Lo supimos unos días más tarde.

GLOSARIO

[2] **renta**: beneficio que se obtiene anualmente de una cosa

pista 18

Capítulo XVII
Las preguntas de Jerónimo

Jerónimo no era tan curioso como Miguel. Era más bien una persona reflexiva, que pensaba mucho antes de hacer algo. Era así cuando pintaba y también en la vida cotidiana. Cuando pintaba se quedaba a veces mucho tiempo sin hacer nada, pensando con los ojos fijos en el cuadro. Al entrar en su taller, ya lo había encontrado varias veces así, concentrado y silencioso; entonces, yo entraba sin hacer ruido, me sentaba también en un rincón[1] e intentaba ver lo mismo que él veía. Pasaban así los minutos hasta que Jerónimo se levantaba de repente, empezaba a pintar y no paraba hasta completar algo: una figura, una cara, un objeto...

Después de la conversación con doña Margarita que lo obligaba a cambiar su cuadro estuvo dos días paralizado, pero luego empezó a pintar a gran velocidad[2], casi con furia.

Si la cuestión de la herida del duque y la historia de la muerte de don Juan también le preocupaban, al principio no dijo nada. Jerónimo, al contrario que Miguel, no comunicaba sus pensamientos hasta que estaban completos. Por eso tardó una semana en decirme algo sobre el tema:

—¿Sabes si Miguel Blasco está todavía en su taller?

Ya era tarde y entraba poca luz por las ventanas.

—Creo que sí.

GLOSARIO

[1] **rincón**: esquina [2] **velocidad**: rapidez

—Vamos a hablar con él.

—Es mejor no hacerlo.

—¿Por qué?

Le conté entonces la impresión que tuve al volver de la habitación de Melchor.

—Seguramente algunos de los criados nos espían. Si nos ven hablando, parecerá sospechoso.

—¿Qué piensas que sospecharán?

—Que queremos saber más sobre la herida del duque.

—Eres muy listo, Sebastián.

—Es que es una historia muy extraña —empecé a decir.

—Cierto, pero tengo la impresión de que algo de ella te preocupa especialmente.

Jerónimo usaba otra vez su voz de sacerdote, suave pero inquisitiva.

—Es algo que dijo Miguel hace unos días y que no me puedo quitar de la cabeza.

—Cuéntamelo. Quizás te puedo ayudar.

—¿Por qué no buscan al asesino del duque? Fue un asesinato y no se puede dejar sin un castigo[3]. ¿No es extraño?

—Cierto. Pero la discreción...

—Lo sé —interrumpí a Jerónimo—. Los duques no quieren dar publicidad al asunto, por eso inventaron la historia de la dama, pero si al duque lo mataron en un burdel, tiene que haber testigos[4]. Quizás alguien oyó o vio algo.

—Tal vez dormían todos.

—Pero en esas casas siempre hay por lo menos un guarda, un hombre armado para proteger a las mujeres y a los clientes. Por lo menos eso me han dicho, porque yo no...

—No importa, Sebastián, sigue contando.

—Me imagino que si oyen gritos y ven que hay una pelea

GLOSARIO

[3] **castigo**: penalización, sanción por una falta [4] **testigo**: persona que ve algo que sucede

y gente con cuchillos y espadas, el guarda o los guardas van corriendo al lugar y hacen algo. ¿No crees?

—Sí, es lo más normal. Pero tal vez no sabían que la víctima era don Juan.

—No lo creo. Don Juan era muy conocido en Madrid. Pero si no lo sabían, sí sabían seguro que era un caballero. Un caballero importante, recuerda que llevaba su mejor ropa. Bueno, en ese momento estaba seguramente desnudo[5] —precisé—, pero al entrar en la casa llevaba la ropa con la que había ido a visitar al rey esa mañana.

Jerónimo seguía mis palabras con gran atención. Con la cabeza y con el movimiento de las manos me animaba a continuar.

—Lo que quiero decir es que, a pesar de que tenía que haber testigos de lo sucedido, no ha llegado ningún rumor sobre la muerte del duque. Bueno, hay muchos rumores, pero todos se preguntan solo quién puede ser la dama misteriosa.

Era cierto, cuando se supo la historia de la heroica muerte del duque por defender a esa mujer sin nombre, todo el mundo en Madrid empezó a pensar quién podía ser ella. Pero si había algún testigo de la muerte verdadera de don Juan, algo tenía que haber llegado a la calle, sobre todo porque a la gente de la ciudad le encantaban las habladurías. Así se lo expliqué a Jerónimo y tuvo que darme la razón[6].

—Miguel cree que don Luis ha pagado a la mujer. Tal vez pagó también a los otros testigos.

—Es posible, pero empiezo a pensar que hay otras personas implicadas en esta muerte. Creo que la persona que atacó a don Juan no era un cliente enfadado o borracho o ambas cosas. Pienso que esta persona era un asesino profesional que buscó el momento adecuado para matarlo.

GLOSARIO

[5] **desnudo**: sin ropa [6] **darle la razón a alguien**: admitir que alguien tiene razón

—¿Por qué? ¿Por orden de quién? —pregunté.

—No lo sé, pero sí sabemos que don Juan tenía una posición cada vez mejor en la corte.

Así era. Y la entrevista con el rey el día de su muerte había sido un gran éxito. El rey quería nombrarlo seguramente ministro. Es decir, convertirlo en el hombre más poderoso de España. Muchos otros hombres nobles deseaban esa posición y la competencia era enorme. Muchos serían capaces de matar para lograrla, para eliminar a un rival.

—Quizás los asesinos trabajaban para alguno de los enemigos políticos del duque —dije entonces.

Jerónimo movía la cabeza afirmativamente.

—¿Qué podemos hacer? —pregunté.

El pintor me hizo un gesto con la mano para indicarme que tal vez tenía una idea. Como cuando pensaba en el cuadro y sus detalles, se quedó otra vez callado e inmóvil sentado frente a mí. Estuvimos así hasta que se levantó de un salto, cogió un pincel y se acercó al cuadro, a la figura que representaba a san Juan Bautista. Primero pensé que volvía a tener un ataque de furia, pero de pronto dijo:

—¿Quién es la única persona que estaba también allí cuando sucedió?

—Melchor.

—Tenemos que hablar con él.

—Pero parecerá sospechoso.

—No si tiene que ver con el cuadro.

—¿Qué tiene que ver Melchor con el cuadro?

—De momento, nada. Pero lo tendrá.

Jerónimo estaba cada vez más eufórico.

—¿Cómo? —pregunté sin perder de vista el pincel en la mano del pintor.

Soria mojó el pincel en pintura blanca y empezó a cubrir la cara de san Juan Bautista. Poco a poco desaparecieron los ojos, la nariz, la boca, la barba, el pelo. Yo lo observaba fascinado, empezaba a entender el plan. Jerónimo terminó su trabajo, se volvió hacia mí y me dijo:

—Ahora necesito una cara para san Juan.

—¿Crees que lo aceptará?

—Por supuesto. Los humanos somos vanidosos[7]. Todo el mundo desea aparecer en un cuadro; piensa en la duquesa. Un retrato es una especie de inmortalidad. Además, Melchor era muy fiel a don Juan; para él será un gran honor aparecer en un cuadro junto a su señor.

—Es cierto.

—Mientras posa para mí y dibujo su cara, puedo preguntarle sobre esa noche.

En el taller de Miguel, yo me había dado cuenta de que cuando la gente posa, está completamente entregada[8] al pintor. Cuando doña Catalina, la hija de los duques, posó para Miguel, estuvo hablando sin parar. El pintor le tuvo que pedir silencio un par de veces, por supuesto con muchísima cortesía. También el joven Íñigo le contó al pintor que quería ser general, que soñaba con ir a América y tener un ejército a sus órdenes. Incluso don Luis, que no era una persona habladora, se quejó un par de veces del trabajo que suponía poner en orden los asuntos de la familia tras la muerte de su padre. Aunque no pintaba con modelos, Jerónimo parecía conocer bien el efecto de posar para un pintor.

Era una buena idea, en principio. Estábamos tan entusiasmados que no nos dimos cuenta de que en ella había un gran error.

GLOSARIO

[7] **vanidoso**: presumido, orgulloso [8] **entregado**: dedicado, sometido a la voluntad de

pista 19

Capítulo XVIII
Un modelo para Soria

Al día siguiente, Jerónimo y yo fuimos a la habitación de Melchor. Como sabíamos que estaba vigilado[1], tuvimos que usar un truco. Salimos al jardín y fingimos[2] pasear. Nos dimos cuenta de que todos los criados con los que nos encontrábamos nos miraban con mucha curiosidad, quizá demasiada curiosidad. Pero Jerónimo hablaba conmigo de arte, de plantas, de jardines, de la luz... Parecíamos un maestro y su alumno. Así llegamos a la zona del jardín que estaba cerca de la habitación de Melchor. Nos acercamos a su ventana y golpeamos los cristales.

Melchor estaba dentro. Abrió:

—¿Qué hace aquí, don Sebastián?

—Quería saber cómo te encuentras. No te he visto desde...

—Desde aquella noche —cortó Melchor.

No quería hablar de los hechos. Me miraba asombrado y tal vez un poco asustado[3]. Entonces vio a Jerónimo.

—¿Quién es este?

—Es Jerónimo Soria, uno de los pintores que están pintando el díptico para la capilla.

—¿Qué quiere?

—Quería preguntarle si quiere ser el modelo para la cara de mi imagen de san Juan Bautista —dijo Jerónimo.

—¿Por qué?

GLOSARIO

[1] **vigilar**: supervisar, custodiar [2] **fingir**: simular, aparentar, dar apariencia de realidad a algo que es falso [3] **asustado**: con miedo

—Es una recompensa por tu gran servicio. Casi pierdes la vida por intentar proteger a tu señor —le expliqué.

—Sin éxito —respondió sin mirarme a la cara.

—Pero de todas formas es un acto de valor[4]. Por eso Jerónimo Soria te quiere retratar en su cuadro.

—¿A mí? ¿A un criado?

—A un hombre valiente y fiel.

Melchor me miró fijamente. Las lágrimas empezaron a correrle por las mejillas[5].

—No soy digno, no soy digno.

—Por supuesto que lo eres. Jerónimo te ha reservado un lugar de honor en el cuadro.

Melchor se apartó de la ventana.

—¡No! ¡No quiero! ¡Fuera de aquí! ¡Dejadme en paz!

Cerró la ventana.

—Por favor, ven mañana al taller de Jerónimo Soria —dije acercándome a la ventana.

GLOSARIO

[4] **valor**: valentía, atrevimiento [5] **mejilla**: cada uno de los lados de la cara que están debajo de los ojos

Capítulo XIX
La desaparición

A primera hora de la mañana Jerónimo y yo esperábamos a Melchor García en el taller.

—Tendrá visita del médico —dije.

A media mañana seguíamos esperando.

—Tal vez el médico llegó tarde hoy.

A mediodía seguía sin aparecer.

—Parece que no viene.

—Me temo que no vendrá.

Y no vino. Ni ese día ni nunca. Melchor García había desaparecido.

Me acerqué a su habitación. Estaba vacía y desordenada, pero era un desorden normal. Miré los pocos objetos esperando encontrar una posible respuesta. Faltaba la ropa que llevaba el día anterior, pero su espada estaba allí, colgada detrás de la puerta. También estaban allí —eso me sorprendió— sus zapatos. Se puede salir sin espada, aunque a determinadas horas no es una buena idea ir por Madrid sin ella. Pero un sirviente del duque de la Ribera no puede salir de casa sin zapatos como un mendigo. Imposible.

Me senté en una silla que estaba al lado de la cama. ¿Dónde podía estar? De pronto la puerta se abrió y entró un hombre que llevaba un libro debajo del brazo. Se sorprendió mucho al verme, casi se le cayó el libro al suelo.

—¿Quién es usted? ¿Dónde está Melchor?

—Eso quiero saber yo también —dije levantándome.

Nos quedamos unos segundos así hasta que me di cuenta de mi descortesía y me presenté. Él también lo hizo. Se llamaba

Martín y era el estudiante a quien don Luis pagaba por leer todos los días unas horas para Melchor.

—No lo entiendo. Melchor nunca sale a la hora de la lectura. Al contrario, cuando llego ya me espera impaciente y nunca parece tener bastante. Don Luis me paga dos horas de lectura, pero Melchor siempre me pide unos minutos más.

No quería mezclarlo en los asuntos de la casa, por eso no le conté que estaba preocupado por Melchor. Él, además, no se dio cuenta de que los zapatos estaban debajo de la cama.

—Tal vez tuvo que salir —le dije—. Quizás tenía ganas de volver a ver las calles de la ciudad.

—Sí, tal vez —respondió poco convencido—. Intentaré hablar con don Luis para saber si sigue necesitando mis servicios[1].

Se marchó con el libro en la mano. Llegué a ver el título, era la segunda parte de *Don Quijote*.

«¡Qué suerte!», pensé.

No sabía entonces que Melchor García nunca iba a escuchar ni una línea de ese libro.

GLOSARIO

[1] **servicio**: (aquí) trabajo

pista 21

Capítulo XX
Demasiadas preguntas

Nadie podía explicarse esa desaparición. ¿Por qué se había marchado? ¿Por miedo? ¿De qué? ¿A quiénes?

Tres días después, don Luis salió de viaje. Los cuadros estaban casi terminados, era cuestión de pocos días. Pero ninguno de los dos pintores parecía especialmente alegre. Sobre todo Jerónimo estaba muy extraño desde la desaparición de Melchor.

Por las noches desaparecía y rechazaba mi compañía.

—¿No vamos a leer hoy?

—No, Sebastián, prefiero estar solo.

Algo torturaba al pintor. También Miguel lo veía así y pensaba, como yo, que era porque Melchor había desaparecido. Lo que ninguno de los dos podía imaginarse es que Jerónimo se consideraba culpable de ello. Y lo peor es que tenía razón, como supimos poco después.

Fue una noche en la que salí con Miguel y fuimos a una taberna muy animada, donde siempre había música, mujeres y gente jugando a las cartas. Normalmente me fascinaban esos ambientes, pero esa noche no me podía divertir. Antes de salir, había pasado por el taller de Jerónimo. La puerta no estaba bien cerrada y escuché que alguien lloraba dentro. Era Jerónimo. No me vio y me fui sin hacer ruido.

Pero la imagen no desaparecía de mi cabeza y me hacía sentir muy triste.

—¿Qué te pasa, Sebastián? —me preguntó Miguel.

Primero no se lo quería contar. Los dos pintores no eran precisamente buenos amigos y a Miguel le gustaba reírse de la gente. Pero necesitaba hablar y se lo conté.

Contrariamente a lo que esperaba, no se rió.

—¿Adónde va Jerónimo después de trabajar? —Me preguntó.

—Algunas veces va a su taller para controlar el trabajo de los aprendices, pero otras veces va directamente al convento de los dominicos. Suele dormir allí.

—Vamos a buscarlo.

Nos pusimos las capas y salimos de la taberna. Hacía mucho frío, los criados que nos acompañaban para protegernos e iluminar el camino temblaban a causa del viento helado por las calles vacías. Llegamos al taller de Jerónimo en la calle de San Miguel. Tuvimos suerte, el propio pintor nos abrió la puerta.

—¿Qué queréis?

—Un poco de vino, un poco de calor y conversación —respondió Miguel.

Entramos. Los criados se quedaron en la entrada y nosotros seguimos a Jerónimo hasta la cocina, cerca del fuego. El pintor tenía los ojos rojos y las manos le temblaban mientras nos servía unos vasos de vino.

—¿De qué queréis hablar? ¿Qué tema tan urgente os ha hecho venir hasta aquí con este frío?

—Tú —dije yo con inocencia.

—¿Por mi alegre compañía? —respondió Jerónimo con sarcasmo.

—No es justo tratar así a[1] Sebastián —intervino Miguel—. El muchacho está muy preocupado por ti y me ha transmitido su preocupación. ¿Por qué no nos dices qué te sucede?

Jerónimo miró fijamente al fuego y empezó a hablar sin apartar los ojos de él.

—Es la culpa, la culpa por mi terrible error. Si le ha pasado algo a Melchor es por mi culpa.

—¿Qué estás diciendo?

GLOSARIO

[1] **tratar a**: relacionarse o comunicarse con

Jerónimo le contó entonces nuestra conversación y nuestras reflexiones. También nuestra hipótesis: que pensábamos que el asesino de don Juan estaba al servicio de algún enemigo político del duque.

—¿Un asesino profesional? Eso puede explicar muchas cosas. Pero, ¿qué tiene que ver con Melchor?

—Melchor vio a esta persona; luchó contra el asesino. Solo Melchor podía identificarlo. Mi estúpido plan era hacer posar a Melchor para mí y así poder hablar con él. ¡Qué estúpido fui! Todo el mundo sabe que no trabajo con modelos. Nunca.

—Pero, ¿cómo podían saber lo de Melchor?

—Tal vez él se lo contó a alguien. Tal vez alguien lo descubrió, nos espían. Desde que empezamos a trabajar nos espían. Hay espías por todas partes. No podemos saber cómo fue, pero está claro lo que pasó. Mi interés por retratar a Melchor fue sospechoso, alguien pensó que quizá Melchor podía contar algo sobre esa noche.

—Quizá que te podía describir a ese hombre y tú podrías retratarlo —dijo entonces Miguel.

—Y gracias al retrato, sería posible identificarlo y saber para quién trabaja —añadí.

—Así es —dijo Jerónimo.

—Alguien empieza a tener miedo de nosotros —dijo Miguel—. Porque involuntariamente hemos descubierto, quizá, una gran intriga[2].

—¿Qué vamos a hacer ahora? —pregunté.

—Nada. Quedarnos quietos[3] —propuso Jerónimo.

—No. Eso ya no sirve, es demasiado tarde. Tenemos que actuar y, además, hacerlo pronto y rápido.

—Pero, ¿cómo?

GLOSARIO

[2] **intriga**: plan astuto y secreto para conseguir un fin determinado [3] **quedarse quieto**: pararse, no moverse

—Tenemos que ir al lugar donde pasó todo.

—¿Al burdel? —preguntamos Jerónimo y yo a la vez.

—Exactamente. Y, además, iremos ahora. ¿Tienes dinero?

—Tengo el adelanto[4] que me dio doña Margarita, pero quería dárselo a los pobres del hospital.

—En este momento nosotros lo necesitamos más que ellos.

GLOSARIO

[4] **adelanto**: dinero que se recibe como pago por un trabajo antes de haberlo realizado

 pista 22

Capítulo XXI
En el burdel

Jerónimo no protestó, pero Miguel y yo sabíamos que para él era una situación desagradable. Visitar un burdel iba contra su voto de castidad, pero nuestro objetivo era otro y no se resistió.

Despertamos a los criados que dormían en la entrada del taller y salimos de nuevo a la calle. Miguel nos mostraba el camino.

—¿Cómo sabes en qué casa pasó? —preguntó Jerónimo al ver la seguridad con que Miguel dio la dirección a los criados.

—Por la descripción que hizo la duquesa. Nos contó que alguien escapó por la escalera. En la calle de Santo Domingo hay dos burdeles, pero solo uno en una casa con escalera.

—Parece que sabes mucho del tema —comentó Jerónimo con ironía.

Si era un intento de provocación, no tuvo efecto, porque Miguel le respondió tranquilamente:

—Sí. Tengo conocimientos teóricos y prácticos.

Me reí y escuché que a uno de los criados también se le escapaba un poco la risa. Hasta Jerónimo tuvo que reír.

Pero a mí la risa se me cortó en seco[1], porque me pareció escuchar pasos detrás de nosotros.

—¿Lo habéis oído también? —les dije a los pintores—. Creo que nos siguen.

Nos detuvimos[2] para escuchar, pero no se oía nada, solo unas voces detrás de las ventanas cerradas de una casa próxima.

GLOSARIO

[1] **cortar(se) en seco**: detenerse de repente [2] **detenerse**: frenarse, dejar de moverse

Seguimos caminando, pero más rápido y en absoluto silencio hasta que llegamos a la casa de la calle de Santo Domingo. Miguel tocó a la puerta. Nos abrió un hombre grande y fuerte al que le faltaba el ojo derecho; sería seguramente un antiguo soldado. Tenía un aspecto muy feroz[3], pero al ver que íbamos bien vestidos nos recibió con exagerada amabilidad y nos acompañó haciendo continuas reverencias hasta la habitación donde estaba la dueña. Esta saludó a Miguel, por lo visto lo conocía; después nos dio la bienvenida a Jerónimo y a mí y se disculpó:

—Lo siento, todas las muchachas están ocupadas. Tenéis que esperar un poco.

—Está bien —respondió Miguel—. En realidad quería verte a ti.

—¡Ah! ¿Sí? ¿Para qué?

—Para hablar.

La mujer no estaba segura de si eso era bueno o malo. El hombre al que le faltaba un ojo también desconfiaba.

—¿Me quedo, señora Fernanda?

—Son solo unas preguntas —dijo Miguel y le enseñó la bolsa con dinero. La movió un poco y las monedas sonaron en el interior.

—Puedes marcharte, Isidro —dijo entonces la dueña—. Son amigos, buenos amigos.

Isidro nos dejó solos. Fernanda nos sirvió un poco de vino antes de preguntar:

—¿Qué queréis saber?

Tendió la mano y Miguel le dio dos monedas.

—Esta casa tiene mucha fama y tiene clientes de mucho nombre.

GLOSARIO

[3] **feroz**: agresivo, brutal

—Pero si quieres conocer esos nombres, tienes que pagar.

—Está bien. Por cada nombre importante, una moneda.

Fernanda empezó a decir nombres. Uno tras otro nombró a los representantes de todas las familias nobles o ricas de Madrid. Cuando salió el nombre del duque, Miguel no detuvo el juego para no mostrarle lo que buscaba. Cuando salió el nombre del rey, en cambio, le hizo una broma[4]:

—Por esta información no te pago. Eso lo sabe todo Madrid.

Después le hizo otra pregunta:

—Hemos oído que a finales de septiembre alguien atacó a uno de tus clientes.

—¿En septiembre? ¿Aquí?

Miguel pensó que la mujer quería más dinero y le dio dos monedas más. Ella las tomó.

—Un caballero a quien alguien atacó en la habitación mientras estaba con una de tus muchachas —dijo él.

Fernanda movió la cabeza diciendo que no. Miguel quiso darle otra moneda, pero ella cerró la mano.

—No quiero dinero por nada. Soy una prostituta, pero no soy una ladrona[5].

—Pero nos han dicho... —empezó Jerónimo.

—No sé qué os han dicho ni quién os lo ha dicho, pero no es verdad. Aquí en septiembre nadie atacó a ningún caballero. ¿A quién se supone que atacaron?

Miguel dudó un momento, pero al final decidió preguntar directamente:

—¿No atacaron aquí al duque de la Ribera?

—¿A don Juan? No. Estuvo aquí, pero se marchó vivo. Satisfecho y vivo. ¿Eso es lo que queréis saber? Para eso no era necesario el teatro con todos los nombres. Toma, estas monedas te las devuelvo. Ya te he dicho que no soy una ladrona.

GLOSARIO

[4] **broma**: chiste, comentario divertido [5] **ladrón**: persona que roba

Hablaba muy seria y el gesto de rechazar las monedas nos convenció de que decía la verdad. Íbamos a tomar un poco más de vino cuando Isidro entró de pronto en la habitación.

—No sé quiénes sois ni quiero saberlo, pero creo que en la calle, al lado de la puerta, os está esperando un grupo de hombres armados y no parecen ser vuestros amigos.

Nos levantamos todos. Fernanda nos dijo entonces:

—Tranquilos. Nadie está en peligro en mi casa. Seguidme. Hay otra salida en la parte de atrás.

La seguimos y nos mostró la puerta. Abrió. Todo parecía tranquilo. Salimos. Al despedirse, Miguel le dio la bolsa con el dinero.

—Gracias —dijimos los tres a la vez.

—Suerte —nos deseó, y cerró la puerta.

Quedamos a oscuras[6]. Estaba claro que nos habían seguido y no podíamos volver al taller de Jerónimo. La casa de los duques tampoco parecía un lugar seguro, pero teníamos que escondernos.

—Vamos —dijo entonces Jerónimo.

—¿Adónde?

—Conozco un lugar seguro.

Intentando no hacer ruido, caminamos pegados a[7] las paredes de las casas. No sabíamos dónde estaban los hombres que nos seguían ni cuántos eran. Avanzábamos en silencio, paso a paso, detrás de Jerónimo. De pronto una voz de hombre empezó a gritar:

—¡Eh! ¡Cuidado! ¿Quiénes sois? ¿Qué queréis?

Jerónimo había tropezado con[8] un borracho que estaba tirado[9] en el suelo.

—¡Silencio! —le dijo.

GLOSARIO

[6] **a oscuras**: sin luz [7] **pegado a**: (aquí) en contacto con, muy cerca de [8] **tropezar con**: chocar sin intención [9] **tirado**: echado, tumbado

Pero eso no lo tranquilizó. Todo lo contrario, empezó a gritar con más fuerza.

—¡Socorro! ¡Ladrones! ¡Asesinos!

Oímos voces de hombres y pasos que se acercaban; también el sonido metálico de las armas.

—¡Vamos! ¡Rápido!

Jerónimo me tomó la mano y yo tomé la de Miguel para no perdernos por las calles oscuras. Nos guiaba por el laberinto con absoluta seguridad, tenía el mapa grabado en la memoria. Jerónimo lo tenía todo en la cabeza.

No recuerdo cuánto corrimos ni cuánto tiempo. A veces parecía que los hombres estaban muy cerca; otras veces no se oían. Finalmente llegamos a una puerta muy pequeña. Jerónimo sacó una llave, abrió y entramos. Cerró otra vez. Entonces vi que estábamos en el convento de los dominicos y que habíamos entrado por una especie de puerta secreta.

Poco después escuchamos los pasos y las voces de los hombres, pasaron por delante de la puerta, pero no podían saber que estábamos allí. Era un lugar seguro. De momento.

 pista 23

Capítulo XXII
La tercera muerte del duque de la Ribera

Jerónimo nos guió[1] por los pasillos silenciosos y oscuros del convento hasta una habitación que podría ser la de un monje: una cama estrecha, una mesa, una silla y muchos libros. Iba allí cuando quería estar solo. Entramos.

Los tres nos hacíamos las mismas preguntas. ¿Por qué nos perseguían esos hombres armados? ¿Qué podíamos hacer ahora en esa situación? Teníamos que responder a la primera antes de decidir qué hacer. No nos podíamos permitir ningún error.

—Nos seguían desde tu taller, Jerónimo —dije—. Eran los pasos que escuché.

—Entonces, seguramente ya nos seguían desde la taberna —añadió Miguel.

—Si os seguían desde la taberna, seguramente os vigilaban desde que salisteis del palacio —terminó Jerónimo.

Estábamos de acuerdo y también en que querían matarnos. ¿Por qué?

—Porque sabemos demasiado —dijo Jerónimo.

—Pero, ¿qué sabemos? —pregunté.

—Sabemos que al duque lo mataron por la espalda, doña Margarita vio la herida —dijo Jerónimo.

—Pero no lo mataron por defender a una dama ni, como sabemos ahora, en el burdel, aunque era cliente habitual —añadió Miguel.

GLOSARIO

[1] **guiar**: mostrar el camino

—Lo mataron por la espalda, a traición[2] —dije.

Nos miramos. Todos habíamos tenido la misma idea. ¿Quién podía atacar a don Juan por la espalda?

—¡Melchor! ¡Fue Melchor!

—Por eso estaba escondido en esa habitación. No estaba herido, era todo teatro. Por eso lo mataron cuando intenté pintarlo, porque podíamos descubrir que no estaba herido, que nunca lo había estado —dijo Jerónimo.

—¡Traidor! —casi grité.

—Sí, un traidor, pero no fue su idea. Melchor solo dio la puñalada, pero lo hizo por orden de otra persona. Alguien que le ha regalado una casa en Segovia y le ha dado una renta para poder vivir el resto de su vida —dijo Miguel.

No siguió hablando, porque la única conclusión lógica era tan horrible que no quería pronunciarla. Pero los tres la sabíamos ya. Y sabíamos también que estábamos en peligro de muerte. Si nuestra sospecha era cierta, solo había una persona que quizás podía salvarnos.

—¿Pero cómo se lo decimos? ¿Y si no nos cree? —preguntó Miguel.

—Yo lo haré —dije—. A mí me creerá.

—Si estamos equivocados, te puede costar la vida —dijo Jerónimo.

—Si no lo hacemos, también —respondí.

Esperamos unas horas hasta que amaneció. Vestido con hábito[3] de monje y una caja con dulces, salí del convento de los dominicos. Caminaba despacio para no despertar sospechas, pero mi corazón latía[4] con fuerza.

Iba a casa de los duques, a decirle a doña Margarita que su hijo era un asesino.

GLOSARIO

[2] **a traición**: faltando a la lealtad o la confianza [3] **hábito**: ropa que llevan los monjes
[4] **latir**: palpitar, dar golpes el corazón

pista 24

Capítulo XXIII
Una última muerte

Tenía tanto miedo, que miraba siempre hacia atrás por si me seguían. El camino desde el convento hasta el palacio me pareció eterno, pero por fin llegué. Tenía un plan para llegar hasta doña Margarita. Llamé a la puerta y escondí la cabeza en la capucha[1]. Cuando un criado abrió, pedí hablar con Amalia Garay.

—Le traigo unos dulces que encargó la señora duquesa.

El criado me llevó hasta la habitación donde estaba Amalia. Recorrí las habitaciones del palacio con la cabeza baja, así nadie podía verme la cara. Nos cruzamos con varios criados, pero como todo el mundo sabía que a la duquesa le encantaban los dulces de los conventos, nadie se extrañó de ver a un monje con una caja de dulces camino de las habitaciones de doña Margarita.

Amalia Garay salió a recibirme.

—¿Dulces de los dominicos? Esto es nuevo.

Esperé un momento. Cuando el criado ya se había marchado, me quité la capucha.

—¡Don Sebastián! ¿Qué hace usted aquí vestido de monje?

—Tengo que hablar urgentemente con doña Margarita. Es una cuestión de vida o muerte. Y no debe vernos nadie.

—Espere aquí.

Amalia salió. A los pocos minutos regresó con su señora.

GLOSARIO

[1] **capucha**: pieza de una prenda de vestir que sirve para cubrir la cabeza y se puede echar a la espalda

—¿Qué pasa, Sebastián?

Todas las palabras que había preparado durante el camino salieron de golpe de mi boca en una terrible confusión. Así le conté que pensábamos que su hijo había hecho matar a su padre, que había sido Melchor, que las heridas eran falsas.

—Pensamos que Melchor lo atacó al salir del burdel, cuando ya estaban en la calle.

Le conté lo que nos había dicho Fernanda.

—Son las palabras de una prostituta.

—Cierto, pero ¿por qué nadie en el burdel sabe nada de un ataque? Todos sabemos cómo es la gente en Madrid. Todo se habla, todo se sabe. ¿Por qué nunca se habló de una visita al burdel?

Doña Margarita lanzó una mirada a Amalia Garay. No me creía.

—¿Por qué desapareció Melchor justo después de la propuesta de Jerónimo? ¿Quién era la única persona a quien don Juan le tenía suficiente confianza para darle la espalda[2]?

De pronto, la duquesa perdió la paciencia, se acercó a mí y me dio una fuerte bofetada; siguió otro golpe mientras gritaba:

—Sebastián, no te mato porque no soy un hombre. ¿Cómo te atreves a ensuciar nuestro honor y nuestro nombre de esta manera? Sal de esta casa y no vuelvas a entrar nunca más. Solo porque eres miembro de la familia tienes la suerte de salir vivo. No contaré a mi hijo las mentiras que dices sobre él.

Amalia me cogió del brazo y me arrastró fuera. Tenía mucha fuerza. Yo seguía haciendo preguntas:

—¿Por qué don Luis salió solo a buscar a su padre herido? ¿De quién fue la idea de la historia con la dama misteriosa?

Amalia me sacó de la habitación y me arrastró por los pasillos sin hablarme. Cuando ya llegábamos a la puerta, esta

---

GLOSARIO

[2] **dar la espalda (a alguien)**: tener la espalda hacia alguien

se abrió de golpe y entró uno de los criados de la casa. Había venido corriendo.

—Amalia, llama a la duquesa, ha pasado algo terrible.

—¿Qué?

—Han encontrado a Melchor al lado del río, cerca del puente de Segovia.

—¿Muerto?

—Sí, de una puñalada cerca del corazón.

—¿Dónde está ahora?

—Lo han llevado al hospital. Están esperando al juez[3].

Amalia me soltó[4], me miró y me dijo:

—Espérame aquí.

Eso hice. Unos minutos después volvió acompañada de doña Margarita.

—Tenemos su permiso —me dijo Amalia—. Vamos.

—¿Adónde?

—Al hospital.

GLOSARIO

[3] **juez**: persona que imparte justicia [4] **soltar**: liberar, dejar libre

Capítulo XXIV
Justicia

—Pero, ¿por qué?

La pregunta significaba que tal vez sí me creía.

Estábamos de nuevo en el palacio. Dos horas antes Amalia y yo habíamos visto el cuerpo de Melchor. Lo habían matado de una puñalada en el corazón, como había dicho el criado. Pero no era eso lo que más nos había sorprendido, sino que en su cuerpo no había ninguna otra herida. Tampoco cicatrices[1]. A Melchor no lo habían herido.

—Nunca me dejó visitarlo —dijo la duquesa. No sabía si me creía, pero era el principio de una duda.

—Además —añadí—, alguien le regaló tierras y una casa en Segovia.

—Mi hijo me dijo que había regalado una de nuestras casas en Segovia, pero no me dijo a quién.

Con un gesto de la mano me pidió silencio. Necesitaba pensar. Fueron unos minutos interminables hasta que la duquesa preguntó con voz muy débil:

—Pero, ¿por qué?

—Eso, doña Margarita, solo lo sabe él. Lo que yo, nosotros, sabemos es que estamos en peligro. Don Luis nos persigue[2] y si nos encuentra, nos matará también. Solo usted puede salvarnos.

Amalia, que conocía mejor que nadie a su señora, se dio cuenta enseguida de que doña Margarita estaba a punto de

---

GLOSARIO

[1] **cicatriz**: marca que deja una herida [2] **perseguir**: buscar a alguien para atraparlo

empezar a llorar. Acababa de aceptar lo que le había contado, una verdad terrible: que su propio hijo había matado a su padre. A su marido.

Lloró en brazos de Amalia. Nunca había visto llorar a nadie así.

Cuando terminó, me miró y me dijo:

—Hay que hacer justicia. Pero no quiero que esta nueva desgracia de la familia sea pública. Si mi hijo es un asesino, tiene que ser castigado. Pero no en público. No delante de la gente.

Si un noble era juzgado[3] y sentenciado[4] por asesinato, el castigo era cortarle la cabeza. Esto se hacía en público y la gente iba en masa[5] para ver el espectáculo. La duquesa quería castigo para el culpable, pero no quería esa vergüenza.

Amalia se arrodilló ante ella, le tomó las manos y le dijo:

—Déjeme hacer a mí, señora.

—Sí —dijo ella con voz débil.

Amalia se marchó. Vi que se llevaba la caja de dulces.

Dos días más tarde don Luis regresó de su viaje. Con la excusa de celebrar su vuelta a casa doña Margarita invitó a su hijo a tomar un chocolate con dulces.

Sé por Amalia que le preguntó si había hecho matar a don Juan. Y que él no lo negó. Por eso doña Margarita le dejó que comiera más dulces.

Pocas horas después don Luis empezó a sentirse mal. Murió por la noche. El médico dijo que los síntomas eran los de un fallo[6] súbito[7] del hígado[8].

Lo enterraron junto a su padre. Su tumba era grande y lujosa, pero no tanto como la de su padre.

GLOSARIO

[3] **juzgar**: decidir si alguien es inocente o culpable de un delito [4] **sentenciar**: condenar a una persona a cumplir una pena [5] **en masa**: muchas personas a la vez [6] **fallo**: error de funcionamiento [7] **súbito**: rápido e inesperado [8] **hígado**: víscera que produce la bilis

Los dos pintores terminaron los cuadros y la duquesa los regaló al convento después de una ceremonia en la que participó toda la corte, incluido el rey. Todo el mundo admiró los dos cuadros, que cuentan para la eternidad que don Juan de Mencía, duque de la Ribera, murió como un caballero y subió al cielo, donde lo esperaban sus dos hijos muertos. El otro hijo muerto se quedó en la tierra, enterrado a su lado, como el secreto que solo sabíamos cinco personas. Lo guardamos desde entonces.

Después de los hechos, Jerónimo Soria dejó la pintura e ingresó[9] en el convento de los dominicos. Miguel Blasco se marchó a Italia. Allí ha hecho una gran carrera en Roma.

Íñigo de Mencía es el nuevo duque de la Ribera. Lo veo cuando viene a las fiestas en el Palacio Real y me cuenta que su madre está bien. Otra vez gordita con sus chocolates y sus dulces, a su lado sigue Amalia, ya muy mayor y casi ciega[10]. Ahora es doña Margarita quien cuida de su fiel criada.

Nunca hemos hablado de lo sucedido. El secreto de las tres muertes del duque de la Ribera solo lo sabéis vosotros. Pero ahora, cuando leéis esta historia, hace ya muchos años que hemos dejado de existir.

GLOSARIO

[9] **ingresar**: entrar oficialmente [10] **ciego**: que no ve

Notas culturales

Capítulo II

conde-duque de Olivares (1587-1645): Gaspar de Guzmán y Pimentel Ribera y Velasco de Tovar, conocido como el conde-duque de Olivares, fue valido del rey Felipe IV durante más de veinte años.

Capítulo VI

Indias: término que introdujo Marco Polo en Europa y que designó hasta principios del siglo XIX a varias regiones de Asia y América.
cristianos viejos: concepto que designaba a las personas de ascendencia cristiana. Normalmente, hasta los abuelos. Se opone al concepto de «converso» o «cristiano nuevo», que se refiere a las personas que antes practicaban otra religión (por lo general islam o judaísmo) convertidas al cristianismo. Ser cristiano viejo era una cuestión de prestigio social.

Capítulo VII

ducado: moneda de oro que se usó en España hasta finales del siglo XVI. Su valor era variable.

Capítulo IX

guerras de Flandes: Flandes era el nombre genérico que se daba a las diecisiete provincias de los Países Bajos, territorios que pasaron a la Corona española cuando Felipe de Habsburgo («el Hermoso») se casó con Juana I («la Loca»), hija de los Reyes Católicos. En 1568, el norte de Flandes se rebeló contra la Corona española y comenzó una guerra entre España, Inglaterra, Francia y los Países Bajos que duró ochenta años.

Glosario

ESPAÑOL	INGLÉS	FRANCÉS	ALEMÁN

Prólogo

ESPAÑOL	INGLÉS	FRANCÉS	ALEMÁN
[1] **golpe**	blow	coup	Klopfen/Schlag
[2] **duque**	duke	duc	Herzog
[3] **criado**	manservant	domestique	Diener/Knecht
[4] **malherido**	wounded	blessé grièvement	schwer verwundet
[5] **carroza**	carriage	carrosse	Kutsche
[6] **hombre de confianza**	trusted companion	homme de confiance	Vertrauensmann
[7] **desmayarse**	to faint	s'évanouir	in Ohnmacht fallen

Capítulo I

ESPAÑOL	INGLÉS	FRANCÉS	ALEMÁN
[1] **mayordomo**	steward/butler	majordome	Haushofmeisterr
[2] **paje**	page	page	Page
[3] **mármol**	marble	marbre	Marmor
[4] **pluma**	feather	plume	Feder
[5] **mendigo**	beggar	mendiant	Bettler
[6] **apoyarse**	to lean	s'appuyer	sich lehnen an
[7] **hilo de agua**	a mere stream	filet d'eau	Wasserstrahl
[8] **natal**	Birth (place)	natal	Geburtsß
[9] **evitar**	to avoid	s'empêcher de	vermeiden
[10] **burlarse de**	to ridicule/to scoff	se moquer de	sich lustig machen über
[11] **detenerse**	to come to a halt	s'arrêter	anhalten
[12] **confitería**	patisserie	confiserie	Konditorei
[13] **servir**	to serve	être au service de	dienen
[14] **darse cuenta de**	to realise	se rendre compte que	bemerken
[15] **artesano**	craftsman	artisan	Handwerker
[16] **tapiz**	tapestry	tapisserie	Wandteppich
[17] **jarrón**	vase	vase	Vase
[18] **orgullo**	pride	fierté	Stolz
[19] **hermoso**	beautiful	beau	Schön/großartig
[20] **recorrer**	to cover (one end to the other)	parcourir	durchgehen

ESPAÑOL	INGLÉS	FRANCÉS	ALEMÁN

Capítulo II

ESPAÑOL	INGLÉS	FRANCÉS	ALEMÁN
[1] **trono**	throne	trône	Thron
[2] **varón**	male	de sexe masculin	Kind männlichen Geschlechts
[3] **caza**	hunting	chasse	Jagd
[4] **consejero**	advisor/chancellor	conseiller	Berater
[5] **valido**	favourite	favori	Favorit
[6] **mujeriego**	womaniser	coureur de jupons	Schürzenjäger/ Frauenheld
[7] **monja**	nun	religieuse	Nonne
[8] **rumor**	rumour	rumeur	Gerücht
[9] **revisar**	to check over	lire attentivement	durchsehen/ überprüfen
[10] **echarse a**	to start to do something	commencer à	(plötzlich) beginnen zu
[11] **caballero**	gentleman	chevalier	Edelmann
[12] **atreverse a**	to dare	oser	es wagen zu
[13] **arma**	weapon	arme	Waffe
[14] **manejo**	handling	maniement	Handhabung
[15] **corte**	court	cour	Hof
[16] **heredero**	heir	héritier	Erbe
[17] **espadachín**	swordsman	escrimeur	gewandter Fechter
[18] **torear**	to fight bulls	toréer	mit dem Stier kämpfen
[19] **alivio**	relief	soulagement	Erleichterung
[20] **estar a punto de**	to be on the point of	être sur le point de	drauf und dran sein
[21] **rezar**	to pray	prier	beten
[22] **alma**	soul	âme	Seele
[23] **honor**	honour	honneur	Ehre

Capítulo III

ESPAÑOL	INGLÉS	FRANCÉS	ALEMÁN
[1] **sordo**	deaf	sourd	taub
[2] **hazaña**	feat/military exploit	exploit	Heldentat
[3] **acariciar**	to stroke/to caress	caresser	streicheln
[4] **decepcionar**	to disappoint	décevoir	enttäuschen
[5] **asunto**	affair/business	affaire	Angelegenheit

ESPAÑOL	INGLÉS	FRANCÉS	ALEMÁN
[6] **curioso**	curious/strange	curieux	neugierig
[7] **espiar**	to spy on	épier	belauschen
[8] **hacer caso de**	to pay attention to	prêter attention à	hören auf
[9] **darse la vuelta**	to turn around	se retourner	sich umdrehen
[10] **hidalgo**	minor nobleman	hidalgo	Adelige/Edelmann
[11] **regresar**	to return	rentrer	zurückkehren
[12] **pariente**	relative	parent	Verwandte
[13] **conceder**	to grant	concéder	zugestehen
[14] **capa**	cape	cape	ärmelloser Männermantel
[15] **adornar**	to adorn	orner	schmücken
[16] **terciopelo**	velvet	velours	Samt

Capítulo IV

[1] **fatídico**	fateful	fatidique	Unheil verkündend, unselig
[2] **medalla**	medal	médaille	Medaille
[3] **brillar**	to shine	briller	Glänzen/funkeln
[4] **tela**	cloth	tissu	Stoff
[5] **por lo visto**	apparently	apparemment	Offenbar/allem Anschein nach
[6] **arriesgar**	to risk	risquer	riskieren
[7] **iluminación**	lighting	éclairage	Beleuchtung
[8] **aprovechar**	to take advantage of	profiter de	nutzen
[9] **escolta**	escort	escorte	Schutzgeleit
[10] **socorro**	aid/help	secours	Hilfe
[11] **jurar**	to swear	jurer	schwören
[12] **proteger**	to protect	protéger	schützen
[13] **tumba**	grave	tombe	Grab
[14] **lágrima**	tear	larme	Träne
[15] **estar dispuesto a**	to be willing to	être prêt à	zu etwas bereit sein

Capítulo V

[1] **encargo**	commission	commande	Auftrag/Bestellung
[2] **cuadro**	(a) painting	tableau	Gemälde

ESPAÑOL	INGLÉS	FRANCÉS	ALEMÁN
[3] **obligar**	to make someone do something	obliger	zwingen
[4] **grueso**	thick	épais	dick
[5] **capilla**	chapel	chapelle	Kapelle
[6] **misa**	mass	messe	Messe
[7] **habladurías**	gossip	commérages	Gerede
[8] **las paredes oyen**	the walls have ears	les murs ont des oreilles	die Wände haben Ohren
[9] **rendija**	gap/crack	fente	Spalt
[10] **honrar**	to honour	honorer	ehren
[11] **bofetada**	slap	gifle	Ohrfeige
[12] **sujetar**	to hold down	tenir	festhalten
[13] **basta**	enough!	un point c'est tout	Schluss!
[14] **ilusionarle algo a alguien**	to get your hopes up	quelque chose fait plaisir à quelqu'un	sich Hoffnungen machen auf
[15] **mandar**	to be in charge	commander	bestimmen/ das Sagen haben
[16] **dureza**	harshness	âpreté	Härte
[17] **díptico**	diptych	diptyque	Diptychon
[18] **entierro**	funeral	enterrement	Beerdigung
[19] **ambos**	both	tous les deux	beide
[20] **de vuelta**	on my way back	de retour	zurück
[21] **deshonra**	disgrace	honte	Schande
[22] **a fin de cuentas**	when all's said and done	en fin de compte	letzten Endes
[23] **despectivo**	disparaging	méprisant	abwertend
[24] **salto**	jump	saut	Luftsprung
[25] **repartir**	to divide	partager	verteilen/aufteilen

Capítulo VI

ESPAÑOL	INGLÉS	FRANCÉS	ALEMÁN
[1] **maduro**	middle-aged	d'âge mûr	erwachsen/ in reifen Jahren
[2] **hacer fortuna**	to make his fortune	faire fortune	zu Geld kommen
[3] **malas lenguas**	evil tongues	mauvaises langues	Lästermäuler
[4] **soler**	to habitually do something	avoir l'habitude de	pflegen zu
[5] **retrato**	portrait	portrait	Portrträt/Bildnis

ESPAÑOL	INGLÉS	FRANCÉS	ALEMÁN
[6] **afirmar**	to declare	affirmer	behaupten
[7] **incluso**	even	même	sogar
[8] **patrón**	patron saint	saint patron	Schutzpatron
[9] **cierto**	to be sure	c'est vrai	gewiss
[10] **asentir**	to nod	acquiescer	zustimmen/ beipflichten
[11] **discreción**	discretion	discrétion	Diskretion
[12] **donar**	to donate	faire don de	spenden
[13] **bolsillo**	pocket	poche	Rocktasche
[14] **cordón**	string	cordon	Kordel
[15] **nudo**	knot	noeud	Knoten
[16] **murmurar**	to murmur	murmurer	murmeln
[17] **pertenecer a**	to belong to	appartenir à	angehören
[18] **hacer votos**	to take vows	prononcer ses voeux	Gelübde ablegen
[19] **casto**	chaste	chaste	keusch
[20] **obediente**	obedient	obéissant	gehorsam
[21] **ordenar**	to order	ordonner	befehlen
[22] **humilde**	humble/modest	humble	bescheiden

Capítulo VII

ESPAÑOL	INGLÉS	FRANCÉS	ALEMÁN
[1] **destacar**	to stand out	se démarquer	hervorragen
[2] **impuesto**	tax	impôt	Steuer
[3] **cortésmente**	courteously	poliment	höflich
[4] **armadura**	armour	armure	Rüstung
[5] **agradecimiento**	gratitude	remerciement	Dank/Erkenntlichkeit
[6] **boca arriba**	lying on your back	sur le dos	auf dem Rücken (liegend)
[7] **cubrir**	to cover	couvrir	bedecken
[8] **¡ni hablar!**	absolutely not!	hors de question!	Kommt nicht in Frage!
[9] **negar**	to say no	nier	verneinen
[10] **perforar**	to perforate	transpercer	durchbohren/ perforieren
[11] **pulmón**	lung	poumon	Lunge
[12] **de una vez**	once and for all	une fois pour toutes	endlich/ ein für allemal
[13] **con indiferencia**	indifferently	avec indifférence	gleichgültig

ESPAÑOL	INGLÉS	FRANCÉS	ALEMÁN
[14] **aumentar**	to increase	augmenter	eröhen
[15] **sueldo**	pay	salaire	Lohn

Capítulo VIII

ESPAÑOL	INGLÉS	FRANCÉS	ALEMÁN
[1] **acostumbrarse a**	to get used to	s'habituer à	sich an etwas gewöhnen
[2] **dibujar**	to draw	dessiner	zeichnen
[3] **esquema**	sketch	esquisse	Entwurf
[4] **por supuesto**	of course	naturellement	selbstverständlich

Capítulo IX

ESPAÑOL	INGLÉS	FRANCÉS	ALEMÁN
[1] **relato**	story/tale	récit	Erzählung/Bericht
[2] **degenerado**	degenerate	dégénéré	entartet
[3] **por desgracia**	unfortunately	malheureusement	Leider/ bedauerlicherweise
[4] **no tener derecho a**	to have no right to	ne pas mériter de	kein Recht auf etwas haben
[5] **encerrarse en**	to shut himself up in	s'enfermer	sich zrurückziehen in

Capítulo X

ESPAÑOL	INGLÉS	FRANCÉS	ALEMÁN
[1] **fiel**	faithful	fidèle	treu
[2] **vela**	candle	bougie	Kerze
[3] **contrarrestar**	to counterbalance	compenser	entgegenwirken
[4] **esconder**	to hide	cacher	verstecken
[5] **tapa**	cover	couverture	Buchdeckel
[6] **sospechar**	to suspect	se douter de	ahnen
[7] **toser**	to cough	tousser	husten
[8] **disimular**	to pretend	dissimuler	sich nichts anmerken lassen
[9] **caminar**	to walk	marcher	gehen, wandern
[10] **sonreír**	to smile	sourire	lächeln
[11] **poner en marcha**	to set something in motion	commencer	in Gang setzen/ auslösen

ESPAÑOL	INGLÉS	FRANCÉS	ALEMÁN

Capítulo XI

[1] **sostener**	to hold up	soutenir	halten
[2] **pecho**	chest	poitrine	Brust
[3] **posar**	to pose	poser	Modell stehen
[4] **de rodillas**	on his knees	à genoux	auf den Knien
[5] **señalar**	to point at	montrer	zeigen auf
[6] **cintura**	waist	taille	Taille
[7] **reír**	to laugh	rire	lachen
[8] **pincel**	(paint) brush	pinceau	Pinsel

Capítulo XII

[1] **frenar**	to hold back	retenir	bremsen
[2] **arrastrar**	to drag	traîner	schleppen/zerren
[3] **impedir**	to impede	empêcher	verhindern
[4] **empujar**	to push	pousser	drücken/schubsen
[5] **resistirse**	to resist	résister	sich weigern
[6] **puñetazo**	punch	coup de poing	Faustschlag
[7] **tender**	to reach out	tendre	reichen
[8] **bordar**	to sew	broder	sticken
[9] **relamerse**	to lick	se pourlécher	(die Lippen) ablecken
[10] **sombra**	shadow	ombre	Schatten
[11] **muerto de**	dying with	mort de	verrückt vor

Capítulo XIII

[1] **reverencia**	bow	révérence	Verbeugung
[2] **fijarse en**	to notice	remarquer	gewahr werden
[3] **brocado**	brocade	brocart	Brokat
[4] **frente**	forehead	front	Stirn
[5] **temblar**	to tremble	trembler	zittern
[6] **encargarse de**	to see to it that	se charger de	dafür sorgen
[7] **amenaza**	threat	menace	Drohung
[8] **avergonzado**	ashamed	gêné	beschämt
[9] **adivinar**	to guess	deviner	erahnen/erraten
[10] **confesar**	to confess	avouer	gestehen

ESPAÑOL	INGLÉS	FRANCÉS	ALEMÁN

Capítulo XIV

ESPAÑOL	INGLÉS	FRANCÉS	ALEMÁN
[1] **sacerdote**	priest	prêtre	Priester
[2] **confesar**	to administer confession to someone	confesser	jemandem die Beichte abnehmen
[3] **festejar**	to celebrate	fêter	feiern
[4] **clavar**	to stick (in)	planter	stechen
[5] **espada**	sword	épée	Schwert
[6] **aviso**	warning	préavis	Warnung
[7] **secar**	to dry	essuyer	trocknen
[8] **recuperarse**	to recover	se remettre	genesen
[9] **atender**	to nurse	s'occuper de	pflegen
[10] **compasivo**	with compassion	compatissant	mitfühlend
[11] **villano**	villain/rogue	scélérat	niederträchtiger Kerl
[12] **ingenuo**	naive	naïf	naiv, arglos
[13] **en pecado**	in a state of sin	dans le péché	in Sünde
[14] **recibir los sacramentos**	to receive the sacraments	recevoir les sacrements	(Todes) sakrament empfangen
[15] **furioso**	furious	furieux	aufgebracht
[16] **apartar**	to push aside	écarter	zur Seite schieben
[17] **barbaridad**	sword	folie	Unsinn

Capítulo XV

ESPAÑOL	INGLÉS	FRANCÉS	ALEMÁN
[1] **lástima**	(a) pity	dommage	schade
[2] **trasero**	rear/back	arrière	hintere
[3] **arbusto**	bush	arbuste	Strauch/Busch
[4] **entretenimiento**	entertainment	distraction	Unterhaltung

Capítulo XVI

ESPAÑOL	INGLÉS	FRANCÉS	ALEMÁN
[1] **supuesto**	supposed	présumé	angeblich
[2] **renta**	annuity	rente	Einkommen/Lohn

ESPAÑOL	INGLÉS	FRANCÉS	ALEMÁN

Capítulo XVII

[1] **rincón**	corner	coin	Ecke
[2] **velocidad**	speed	vitesse	Geschwindigkeit
[3] **castigo**	punishment	châtiment	Strafe
[4] **testigo**	witness	témoin	Zeuge
[5] **desnudo**	naked	nu	nackt
[6] **darle la razón a alguien**	to admit that someone is right	donner raison à quelqu'un	jemandem Recht geben
[7] **vanidoso**	vain	vaniteux	eitel
[8] **entregado**	in the hands of	dévoué	hingegeben

Capítulo XVIII

[1] **vigilar**	to guard	surveiller	überwachen
[2] **fingir**	to pretend	faire semblant	vortäuschen
[3] **asustado**	frightened	effrayé	erschrocken
[4] **valor**	courage	courage	Mut
[5] **mejilla**	cheek	joue	Wange

Capítulo XIX

[1] **servicio**	services (work)	service	Dienst

Capítulo XX

[1] **tratar a**	to talk to	traiter	jemanden behandeln
[2] **intriga**	intrigue	complot	Intrige, Machenschaft
[3] **quedarse quieto**	to keep quiet	ne rien faire	still halten
[4] **adelanto**	down-payment/ (an) advance	avance	Vorschuss

Capítulo XXI

[1] **cortar(se) en seco**	to come to an abrupt halt	s'arrêter net	hier: im Halse stecken bleiben

ESPAÑOL	INGLÉS	FRANCÉS	ALEMÁN
[2] **detenerse**	to stop moving	s'arrêter	anhalten/ stehen bleiben
[3] **feroz**	ferocious/rough	féroce	wild
[4] **broma**	joke	plaisanterie	Witz/Scherz
[5] **ladrón**	thief	voleur	Dieb
[6] **a oscuras**	in the dark	dans le noir	im Dunkeln
[7] **pegado a**	stuck close to	collé à	dicht an
[8] **tropezar con**	to trip over	trébucher sur	stolpern über
[9] **tirado**	lying on the ground	allongé par terre	liegend

Capítulo XXII

ESPAÑOL	INGLÉS	FRANCÉS	ALEMÁN
[1] **guiar**	to guide	guider	führen
[2] **a traición**	treachery	sournoisement	hinterhältig
[3] **hábito**	habit	soutane	Ordenskleid
[4] **latir**	to beat	battre	schlagen

Capítulo XXIII

ESPAÑOL	INGLÉS	FRANCÉS	ALEMÁN
[1] **capucha**	hood	capuche	Kapuze
[2] **dar la espalda (a alguien)**	to turn your back on someone	tourner le dos (à quelqu'un)	jemandem den Rücken zukehren
[3] **juez**	judge/magistrate	juge	Richter
[4] **soltar**	to release	lâcher	loslassen

Capítulo XXIV

ESPAÑOL	INGLÉS	FRANCÉS	ALEMÁN
[1] **cicatriz**	scar	cicatrice	Narbe
[2] **perseguir**	to pursue	poursuivre	verfolgen
[3] **juzgar**	to try (legal)	juger	vor Gericht stellen
[4] **sentenciar**	to sentence	condamner	verurteilen
[5] **en masa**	in mass	en nombre	in Scharen
[6] **fallo**	failure	défaillance	Versagen
[7] **súbito**	sudden	soudain	plötzlich
[8] **hígado**	liver	foie	Leber
[9] **ingresar**	to become a member	être admis	eintreten
[10] **ciego**	blind	aveugle	blind

actividades

ANTES DE LEER

1. Fíjate en el título de la novela, *Las tres muertes del duque de la Ribera.* ¿Por qué crees que se llama así? Haz hipótesis.

2. Lee la cita que aparece en la página 5. ¿Estás de acuerdo? ¿Cómo quieres que te recuerden a ti?

3. La historia se desarrolla en Madrid en el siglo XVII. ¿Qué sabes de esta época en general? Escribe todo lo que se te ocurra. Te servirá para entrar en el ambiente de la novela.

DURANTE LA LECTURA

Prólogo-Capítulo V

4. ¿Cómo describirías a los siguientes personajes?

Don Juan

Doña Margarita

Don Luis

Sebastián

Melchor

5. ¿Te parece que el duque muere de forma noble? ¿Por qué?

6. En el capítulo v, ¿por qué crees que doña Margarita le da una bofetada a su hijo?

Capítulos VI-XI

7. ¿Cómo describirías a Jerónimo Soria y a Miguel Blasco? ¿A cuál de los dos le encargarías tú el cuadro y por qué?

8. ¿Crees que en esta frase que le dice Jerónimo a Sebastián hay ironía?

–Tienes que tener cuidado con el frío, Sebastián. Toses mucho hoy.

9. ¿Cómo crees que puede afectar la indiscreción de Sebastián al trabajo de los pintores?

Capítulos XII-XVII

10. ¿En qué lugar del cuerpo hirieron al duque en realidad?

11. ¿Por qué deciden pintar la herida a la izquierda?

12. ¿Qué crees que es más importante para doña Margarita, la venganza o el honor? ¿Por qué?

Capítulos XVIII-XXIV

13. ¿Qué problema moral tiene Jerónimo al pintar el cuadro?

14. ¿Cómo afecta el asesinato del duque a la relación de los dos pintores? ¿Mejora o empeora? ¿Cómo y por qué?

15. ¿Entiendes por qué han matado al duque? ¿Qué te parece el final de la historia?

16. ¿Qué te parece la reacción de doña Margarita frente al asesino?

DESPUÉS DE LEER

17. ¿Cómo le contarías el argumento de la novela a un amigo? Toma notas, ensaya un monólogo y grábalo con tu móvil o con una grabadora de voz. Luego escúchate y decide qué te gusta de tu grabación y qué quieres mejorar.

18. Escribe un final alternativo para la historia.

LÉXICO

19. Combina los elementos de la derecha con los de la izquierda para formar expresiones que aparecen en el libro. ¿Recuerdas el significado de cada una? Si es necesario, consulta el glosario.

hombre	hablar!
hacer	quieto
malas	de cuentas
¡ni	fortuna
poner	la espalda
quedarse	de confianza
dar	en marcha
a fin	lenguas

Solución:
hombre de confianza / hacer fortuna / malas lenguas / ¡ni hablar! / poner en marcha / quedarse quieto / dar la espalda / a fin de cuentas

20. Todas estas expresiones que aparecen en el libro se construyen con la preposición «por». ¿Sabes qué significa cada una? Escribe una frase con cinco de ellas. Busca luego en el libro expresiones que se construyen con las preposiciones «a», «de» y «en».

21. Estos conceptos son clave en la novela. ¿Qué relacionas con cada uno? ¿Qué consecuencias tienen en la historia? ¿Puedes añadir algún otro importante para la historia?

CULTURA

22. Uno de los pintores más importantes del Barroco es Diego Velázquez, de quien se habla en la novela. Investiga sobre él y escribe un texto sobre su biografía, su pintura y sus obras más importantes. ¿Te gusta su obra?

INTERNET

23. Si quieres ver las obras más importantes de Velázquez y de otros clásicos de la pintura española, puedes visitar la web del Museo del Prado: **www.museodelprado.es**, en la sección «Colección». Escoge una obra que te guste y descríbela. ¿Por qué la has escogido?